L'ESTAMPE
IMPRESSIONNISTE

BIBLIOTHÈQVE NATIONALE

L'ESTAMPE

IMPRESSIONNISTE

PARIS
1974

Les notices de ce catalogue ont été rédigées par Michel Melot, *Conservateur au Cabinet des Estampes.*

La présentation, conçue par Michel Melot, *a été réalisée par les ateliers du Cabinet des Estampes, avec l'aide de* Michel Brunet, *et la collaboration des autres ateliers de la Bibliothèque nationale.*

Nos 32, 33, 201, 204, 207, 293 : Clichés Lalance. Les autres clichés ont été exécutés par les ateliers de photographie de la Bibliothèque nationale.

ISBN 2-7177-1212-7

© Bibliothèque Nationale, Paris, 1974

PRÉFACE

Au moment où le monde entier célèbre le « centenaire de l'Impressionnisme », la Bibliothèque nationale, qui est le conservatoire français de l'estampe, se devait de participer à cette grande manifestation.

*
* *

La date convenue pour cet hommage a pourtant, en ce qui concerne la gravure, assez peu de sens. « La Société anonyme coopérative d'artistes peintres, sculpteurs, graveurs », à la création de laquelle contribuèrent largement beaucoup de ceux qui avaient été qualifiés jusqu'alors de « naturalistes » ou de « réalistes », Monet, Renoir, Sisley, Degas, Pissarro, avait bien vu le jour il y a un siècle. Elle avait bien organisé, en 1874, dans les ateliers du photographe Nadar, une exposition où ces peintres, raillés, ridiculisés, vilipendés, qualifiés par dérision d'impressionnistes et la plupart du temps refusés dans les Salons, avaient pu faire connaître quelques-unes de leurs œuvres. Mais, contrairement aux promesses du titre, aucune gravure ne fut exposée. Elles feront leur apparition à la troisième exposition du groupe seulement, trois ans plus tard.

Après une éclipse incontestable, au milieu du XIXe siècle, la gravure n'avait pas tout à fait regagné la faveur du public. Ou plutôt, elle avait essentiellement gardé un caractère commercial. Les images de piété et les placards publicitaires, qui formaient l'essentiel de la production, ne relevaient pas du domaine de l'art. L'estampe avait vu grandir, avec la photo, une rivale dangereuse. Et comme il arrive souvent dans des cas semblables, elle avait tout d'abord tenté d'imiter une concurrente qui l'inquiétait et renoncé dans une large mesure, à ce qui faisait son prix et son originalité.

L'influence de l'estampe japonaise, où se déploient les courbes harmonieuses des kimonos, où la composition s'organise autour des diagonales, et qui témoigne d'une réelle maîtrise dans l'art de la silhouette, se faisait pourtant sentir, à un moment où l'Empire du Soleil Levant commençait à s'ouvrir à l'Occident. Bracquemond devait s'en faire, en France, le propagandiste actif. Certaines planches de Degas et, plus encore, de Mary Cassatt, en seront directement inspirées.

En 1862 s'était créée une Société des Aquafortistes. Une section de gravure s'ouvrit dès lors dans les Salons. Mais l'estampe était encore traitée en parente pauvre. Il fallut attendre les dernières années du siècle pour voir naître, en 1889, le Salon des Peintres graveurs.

En 1874 encore, la gravure n'a pas assez d'audience auprès du public, pour que des artistes de génie croient bon de l'exposer à côté de sculptures et de tableaux.

*
* *

L'Impressionnisme, cette fête de la lumière, du soleil, et souvent du grand air, est-il donc incompatible avec un art qui se satisfait du noir et du blanc ?

L'exposition d'aujourd'hui montre bien qu'il n'en est rien.

L'Impressionnisme a produit des gravures dont certaines sont parmi les plus belles du monde. Et peut-être les limites mêmes dans lesquelles le génie se trouve enfermé, l'étroitesse du cadre qui lui est imposé, rendent son expression à la fois plus intime et plus puissante, lorsque le choix des tons dont il dispose se trouve lui-même plus limité.

L'usage fait du noir et du blanc n'est d'ailleurs pas le même chez chacun.

Manet sut utiliser avec génie les ressources que lui offraient, pour imposer ses personnages, les oppositions de ton. « Dans une figure, disait-il, cherchez la grande lumière et la grande ombre, le reste viendra naturellement. » Son genre s'y prête bien, qui est celui de l'eau-forte. Baudelaire le qualifie alors de subtil et de superbe, de naïf et de profond, de gai et de sincère. Il se félicite de le voir si bien exprimer « le caractère personnel de l'artiste ». Mais la manière de Manet n'est simple qu'en apparence. Son art de disposer des taches de lumière, de jouer de la discontinuité des lignes, de réussir une scène bien « enlevée », supposent une technique savante. Nul n'a appliqué avec plus d'énergie et de vigueur cette concision qu'il jugeait nécessaire. L'Espagne, ensoleillée et cruelle pourtant, convenait à son inspiration. Une Espagne où les danseuses ont l'allure un peu rustre des paysannes, où les toréadors évoquent l'idée de la mort plus que celle de la gloire, où le regard des enfants est empreint de résignation plus que de gaieté, mais où la tristesse elle-même baigne dans le soleil. Car l'estampe de Manet n'est point celle des clairs-obscurs, à la Rembrandt, dans laquelle se fond un ensemble d'ombres et de lumières. Elle s'apparente plutôt à celle de Goya, un Goya très proche des réalités quotidiennes et qui, du premier coup, fait partager ses sensations. L'impressionnisme n'est pas forcément gaieté, ni même nécessairement éclat : mais il est presque toujours clarté. Et, dans ce sens, Manet est vraiment un impressionniste.

La lumière, chez Degas, n'éclipse nullement la perfection du dessin, que l'opposition du noir et du blanc souligne plus vigoureusement encore. Lumière et mouvement semblent préexister pourtant à la forme, dont ils font ressortir le modelé. Ligne sinueuse du corps féminin, dans l'atmosphère intime de la toilette; danseuses qui s'exercent à l'école; clarté artificielle et blanche des globes, dans une salle de café-concert; ou encore, vautrées sur des canapés, des filles aux chairs pâles et flasques, qui attendent le client. La luminosité des corps, la netteté des contours, la légèreté avec laquelle les noirs et les gris se fondent et se distinguent prouvent à quel point la technique permet d'atteindre à la beauté et à quel point la beauté fait oublier la technique, en la dépassant. Degas lui-même pensait que la gravure était un des arts majeurs, qui ne le cédait en rien à la peinture, et qui lui donnait, disait-il, une de ses plus grandes joies de créateur.

Le paysage aux éclairages changeants ressortit plus encore que le portrait à l'art qualifié généralement d'impressionniste. Monet n'a point gravé. Mais Pissarro rend admirablement par l'estampe une atmosphère campagnarde, la pluie qui tombe dans les champs, les labours encore humides, des herbes qui gonflent au vent, la masse sombre des meules au soleil couchant. Des branches d'arbres nues découpent dans le ciel des dessins d'une blancheur éclatante. Ou bien encore des nuages, en touches légères, flottent sous la brise. Les hommes, simples taches de lumière, semblent se fondre dans la nature qui les entoure.

*
* *

Les gravures impressionnistes furent en fait presque totalement ignorées du grand public à l'époque où leurs auteurs en produisaient encore.

Elles n'avaient d'ailleurs jamais été très nombreuses : une centaine d'eaux-fortes, de lithographies et de bois de Manet, 200 planches de Pissarro, une soixantaine de Renoir, et si l'on excepte ses 200 monotypes, 68 gravures de Degas, sans compter neuf lithographies et eaux-fortes, assez médiocres d'ailleurs, de Cézanne, et six de Sisley représentant les rives du Loing. Le nombre des créations des maîtres les plus célèbres de l'Impressionnisme est, dans ce domaine, assez limité.

En outre les auteurs de ces planches ne cherchaient point à les montrer. Seul Manet voyait dans l'estampe un moyen publicitaire de faire connaître ses tableaux, trop souvent refusés dans les Salons. La gravure, pensait-il, permettait de rendre plus accessible l'interprétation de telle ou telle de ses œuvres. Renoir également, s'avisa vers la fin du siècle, à un moment où l'estampe avait déjà acquis ses lettres de noblesse, que la lithographie commerciale en couleur atteignait d'assez forts tirages; il céda donc aux demandes des marchands. Mais Pissarro répugnait à diffuser son œuvre gravé, et ne le montrait qu'à quelques intimes. Le seul fait que Degas ait produit deux fois plus de monotypes que de gravures prouve bien qu'il ne destinait point ses planches à la diffusion.

Pour Degas, pour Pissarro et pour la majorité des graveurs impressionnistes, l'estampe devait en effet se suffire à elle-même.

La plupart des peintres graveurs furent, dans ce domaine, de grands expérimentateurs. Manet, nous l'avons vu, participa, avec l'appui de Baudelaire, au grand mouvement de renouveau de l'eau-forte. Sans abandonner les méthodes traditionnelles, l'eau-forte, l'aquatinte, la lithographie et même la pointe sèche, Degas, Pissarro, Renoir utilisèrent les techniques les plus variées, dans une incessante recherche d'instruments plus perfectionnés, de crayons plus précis et plus doux, de burins plus acérés, de pierres d'un grain plus subtil ou convenant mieux au sujet. Aussi bien que sur cuivre et sur pierre, ils gravèrent sur zinc, sur verre, sur celluloïd même, et usèrent de papiers de toutes couleurs. Ils imbibèrent leurs planches des liquides les plus divers, d'essence, de fleur de soufre, de sulfate de soude aussi, de résine ou de vernis mou. Ils inventèrent constamment et remplacèrent parfois le burin par de la toile émeri, des brosses métalliques ou un charbon de lampe électrique. Il leur arriva même de retoucher leurs épreuves et de les rehausser à la gouache ou au pastel, et leur gravure devint monotype.

Là encore, ils furent poussés par le désir de faire front contre l'académisme, de produire librement et d'ouvrir des voies nouvelles.

Rien n'est plus émouvant, tout au long de ce vaste travail de création, que ce souci constant de rendre au plus juste, la sensation d'un instant. Peut-être la gravure a-t-elle été, par la concision même qu'elle impose, la technique la mieux appropriée pour répondre à ce besoin. Beaucoup de peintres impressionnistes l'ont senti, qui gravaient pour eux-mêmes et sans autre motif que le besoin de s'exprimer.

L'exposition qui est présentée aujourd'hui à la Bibliothèque nationale montre bien à quel point leur recherche a réussi.

*
* *

Je tiens à remercier très vivement M. Michel Melot, conservateur au Cabinet des Estampes, pour le talent et l'extrême compétence qu'il a manifestée dans la préparation de cette exposition.

ETIENNE DENNERY
Administrateur général
de la Bibliothèque nationale

LISTE DES PRÊTEURS

Bibliothèque d'art et d'archéologie (B.A.A.).

Musée du Louvre, Cabinet des dessins.

I. LE ROMANTISME

« Avant d'aller plus loin, invoquons l'autorité du génie haut et clair d'Eugène Delacroix : les règles de couleur, de ligne et de composition que nous venons d'énoncer et qui résument la division, ont été promulguées par le grand peintre ».

En 1899, Signac, dans « *De Delacroix au néo-impressionnisme* », rend hommage à celui qu'il considère comme le grand précurseur de la peinture moderne. En gravure, art semi-populaire, le romantisme dure encore en 1874, dans une quantité de productions et de reproductions. Le romantisme rêveur et éthéré, l'impressionnisme ne lui doit rien, mais il doit beaucoup au romantisme violent, au sujet vif et à la palette crue, celui de Delacroix qui, seul, au jury du Salon, avait soutenu Manet. Les effets d'atmosphère de Bonington ou d'Isabey sont certainement pré-impressionnistes dans leur esprit même, qui les conduit, comme on voit, à innover leur technique, à risquer sur la pierre des procédés inédits, sans respect de l'orthodoxie ou du métier. Ce fut le premier pas, le premier échec aussi, d'un art qui, rompant avec sa clientèle, s'exposait à n'être pas reconnu. L'estampe, jusqu'alors sujette du public plus encore que la toile, commence avec les romantiques son exil dans les ateliers et dans les cartons d'artistes, d'où elle sortit grandie, à l'époque de Signac.

Eugène DELACROIX
1
Feuille de douze médailles antiques, *lithographie*, 1825, 1er état (Delteil 47). — B.N., Estampes.

Cette feuille est la dernière d'une série exécutée d'après les médailles de la collection du duc de Blacas (Delteil 43 à 47). Visiblement, Delacroix a recherché la difficulté de rendre de très bas reliefs, à seule fin de savoir comment traiter les volumes sans contours définis, uniquement par une faible lumière. Il emploie tous les moyens, jusqu'aux courbes de niveaux des géographes. Cette expérience est fondamentale pour la vision impressionniste qui cherche, selon le mot de Gautier, à dessiner par le milieu et non par les contours. Ce nouveau traitement des volumes n'existe que par un mouvement qui semble les gonfler plutôt que par un contour qui les délimite. La leçon sera retenue par Pissarro ou Fantin-Latour, qui possédaient ces pièces dans leur collection. Le 22 janvier 1884, Pissarro envoyant ces planches de « médailles » à son fils Lucien, lui dit : « *Je t'envoie... dix dessins lithographiques de Daumier et une lithographie de Delacroix d'après des médailles antiques. Ce sont des exemplaires fort rares aujourd'hui et auxquels je tiens beaucoup. Je les regarde souvent... ; comme lithographie on n'a pas fait mieux* ». Les « médailles antiques » sont aussi les seules planches de Delacroix qui figuraient dans la collection de Degas.

Cette planche fut republiée par *L'Artiste* du 15 mars 1864, p. 144, qui annonce avoir acheté le dessin sur pierre, et un nouveau tirage à 100 sur grand papier avant effaçage de la pierre. « *Une épreuve de la planche était payée 10 à 20 f. à la vente Delacroix, tant on était curieux de la posséder* ». La suite est très bien représentée dans les collections de la B.N. en épreuves provenant des collections Burty, Beurdeley et Fantin-Latour.

Richard Parkes BONINGTON

2

Rouen, cathédrale Notre-Dame telle qu'elle était avant l'incendie de 1822, *lithographie*, 1824 (Curtis n⁰ 10, Beraldi 21, Hédiard 22). — B.N., Estampes, anc. coll. Curtis.

Première planche du cahier de lithographies de Bonington publié en juin 1824 : *Restes et fragments d'architecture*, suite dite « Petite Normandie » pour la distinguer de celle du baron Taylor. On y trouve manifestement les recherches techniques de « rendu » de l'atmosphère par divers traitements sur la pierre (lavis, frottis, grattages), qui furent le premier enseignement des Impressionnistes. Bonington est un pionnier en ce domaine : le vernis mou des *Bateaux* (Curtis n⁰ 66), dont la seule épreuve connue est au British Museum, est étonnamment avancée, même si elle appartient, comme on peut le présumer, à une date postérieure à celle de la célèbre vue de Rouen. Il apprend comment une technique, par la vertu de sa texture est déjà figurative — ainsi le frottis de la lithographie figure-t-il le brouillard — ou évocatrice. Les effets de craquelure du vernis, qui donnent directement la représentation d'une *matière* seront très utilisés par Pissarro dans ses vues du vieux Rouen. Cette manière nouvelle, venue d'Angleterre, frappa les artistes français pendant tout le siècle. « *C'est à Bonington que pense Baudelaire quand il parle de la magie des Anglais. ... Baudelaire sut découvrir Boudin et Jongkind qui appartiennent vraiment à la descendance de Bonington* », écrit justement Pierre Georgel (*Bonington, un romantique anglais à Paris*, expos. Musée Jacquemart-André, 1966, n⁰ 28 b, où est citée une aquarelle semblable au British Museum).

Curtis compte trois états, mais qui n'affectent que la lettre, de cette pièce dont « *l'effet est saisissant* » (Hédiard). En fait l'état est unique avec trois tirages. La B.N. en possède quatre épreuves dont deux provenant de Curtis.

Eugène ISABEY

3

Deux essais au lavis, *lithographie*, 1829 (Curtis n⁰ 8, Hédiard n.d.), seule épreuve connue. — B.N., Estampes, anc. coll. Beurdeley et Curtis.

Ce mélange de techniques sur la pierre : lavis, grattage, essuyage, etc., préfigure la cuisine des lithographies et des monotypes de Degas et de Pissarro. Cette pièce est particulièrement intéressante quoiqu'inachevée — ou parce qu'inachevée — par sa recherche d'effets de matière et atmosphériques. Une autre pièce aussi neuve (*Épave de barque*, Curtis n⁰ 9), également unique, est conservée à Boston. On connaît mieux, d'Isabey, les pièces de même style, mais plus léchées, moins sauvages, quoique la vedette y soit donnée aux contrastes (*Radoub d'une barque à marée basse*, Curtis n⁰ 67, *Vues de Rouen*, Curtis n⁰ 59-60). Isabey fut le professeur de Jongkind, qui arriva dans son atelier en 1843, venant de sa Hollande. C'est sans doute là, plus que chez Picot, qu'il fortifia son style presque visionnaire. Ils devinrent amis, et firent ensemble une excursion en Normandie en 1850 et, en 1851 une autre en Bretagne. Les rapports stylistiques évidents entre les recherches d'Isabey et celles des Impressionnistes sont donc confirmés par des rapports historiques certains.

Honoré DAUMIER

4

L'Ane et les deux voleurs, *lithographie*, 1862, 3ᵉ état (L.D. 3253). — B.N., Estampes.

Dans son article sur Daumier, précurseur des Impressionnistes, Philippe Robert-Jones (*Gazette des Beaux-Arts*, 1960, p. 247-250) insiste sur les études de lumières et d'effets climatiques poursuivis par Daumier sur la pierre lithographique. Il parvint effectivement à des réussites incontestables d'effets de lumière accablante d'été, de pluie, de nocturnes et de lumières artificielles qu'on peut rapprocher de ceux de Degas. Mais ce n'est pas là, semble-t-il, l'apport le plus important de Daumier aux écoles nouvelles. Si Pissarro fait son éloge inconditionnel et longuement (lettre à Lucien du 22 janvier 1884), c'est parce que Daumier parvient à être « naturel » (« *C'est rudement bien construit* ») et à transmettre une sensation de mouvement et d'attitude de façon immédiate, par l'observation directe, ce qui est le souci premier des Impressionnistes. Ce sont bien les personnages de Daumier qui influenceront les *Baigneuses* de Pissarro ou les *Repasseuses* de Degas. Pissarro n'est-il pas l'héritier de Daumier lorsque, en réaction contre les paysans de Millet, il cherche une sincérité brutale devant les *Baigneuses* : « *Épatant!... c'est peut-être trop nature, ce sont des paysannes en chair... ferme! Cela offusquera, j'en ai peur, les délicats, mais je crois que c'est ce que j'ai fait de mieux...* » (Lettre à Lucien du 21 janvier 1894).

6. — F. Bracquemond, Treize grâces japonaises.

II. LE JAPONISME

La question du japonisme a été pour les historiens de l'art un champ d'érudition très débattu. On s'y est surtout livré à une surenchère de dates. Aujourd'hui que la chronologie de cette mode et de son apparition est bien connue, il convient de se demander pourquoi elle eut lieu avec tant d'engouement. On a cru que le nouveau régime japonais, libéralisé en 1868, l'établissement de rapports commerciaux avec l'Occident (ambassade américaine en 1854, française en 1858), le voyage d'amateurs (Cernuschi et Duret en 1871-1872) étaient des explications suffisantes au phénomène. Elles n'expliquent pourtant rien de la brusque parenté que se découvrirent les artistes français, et particulièrement les graveurs, avec l'art japonais. C'est au niveau des significations de ce style qu'il faudrait désormais poursuivre l'analyse. Ce qui est le plus troublant, c'est que la parenté de style, délibérément recherchée par les artistes occidentaux, s'accompagne d'une parenté iconographique qui fut beaucoup plus naturelle : scènes intimes ou triviales, courtisanes et maisons closes, portraits d'acteurs, paysages. Stylistiquement, l'art japonais enseigne aux occidentaux des compositions à la fois violentes et raffinées, à coup de dissymétries et de plans coupés, un usage immodéré de l'arabesque décorative pour enrober tout volume. Peut-être ce goût soudain pour le raffinement dans le déséquilibre, morale d'esthète, marque-t-il, en France comme il l'avait fait au Japon, cette soif de sensualité en dehors des cadres sociaux à la morale désuète et à la hiérarchie dépassée. Entre l'impressionnisme et le japonisme, il y a plus qu'une coïncidence circonstancielle, mais un lien profond, dont l'explication gît dans la situation, à un moment semblable, des deux civilisations qui s'ignorent.

Grâce à la collection de Théodore Duret, une cargaison de livres illustrés rapportés de son voyage avec Cernuschi, offerte au Cabinet des estampes et cataloguée par Duret (*Livres et albums illustrés du Japon réunis et catalogués par T. Duret*, Paris, 1900, importante préface), la Bibliothèque nationale a joué un rôle non négligeable dans la diffusion du japonisme près des artistes (Degas, Lautrec) qui fréquentaient le Cabinet des estampes. Elle est demeurée la plus importante collection de livres illustrés japonais conservée en Europe.

Félix BRACQUEMOND

5

Planche du service Rousseau, *eau-forte*, 1866 (Inv. 296-301, B. 539). — B.N., Estampes.

6

Treize graces japonaises, *eau-forte*, (Inv. 304, B.n.d.). — B.N., Estampes.

Dans un article récent, *Félix Bracquemond and Japonism*, dans *Art Quarterly*, (printemps 1969, p. 57-68), Gabriel Weisberg a retrouvé et publié les sources exactes d'où sont issues les planches destinées à la décoration d'un service de table pour le marchand Rousseau. Ce sont des adaptations directes de dessins japonais, et ce ne sont pas les seules que l'on rencontre dans son œuvre. On a prêté à Bracquemond « l'invention » du japonisme. Il en fut l'un des sectaires les plus zélés, allant jusqu'à fonder, à Sèvres où il travaillait, une société amicale et japonisante. Mais la mode fut tellement générale qu'il est vain de chercher qui en fut l'initiateur. Les livres japonais ont pénétré en France par plusieurs canaux. Bracquemond s'en était fait une collection, qu'il utilisa beaucoup, qu'il fit utiliser à ses amis sans doute autant, et grâce à laquelle il « *renouvela complètement l'art du décor de plats et d'assiettes* » (cf. J.-P. Bouillon, préface au Catalogue de l'exposition *Félix et Marie Bracquemond*, Mortagne-Chartres, mai-septembre 1972).

Édouard MANET

7-8

Les Chats, *dessin préparatoire*, v. 1868 (De L. 218) *et eau-forte* (G. 52, H. 64). — B.N., Estampes, anc. coll. Moreau-Nélaton.

C'est sans doute à partir d'estampes japonaises que Manet, dont on connaît le japonisme, a exécuté de nombreuses études sur ce thème (dessins du Louvre, *De Leiris* nº 158, 225 à 231, 328-329, etc.) qu'on retrouve dans le tableau *Le Déjeuner* (Neue Staatsgalerie, Munich). N.G. Sandblad, dans l'une de ses « *Three studies in artistic conception* », a profondément étudié le japonisme de Manet. Cette gravure, finalement inédite, fut sans doute exécutée en vue d'illustrer « *Les Chats* », le livre de Champfleury dont Manet fit l'affiche dans un style tout aussi japonisant. Or, ce livre comporte des reproductions d'estampes japonaises que Champfleury ne put pas ne pas montrer à Manet. Elles sont d'ailleurs très proches. L'illustration, qui finalement fut utilisée pour illustrer le livre de Champfleury (G. 53, H. 65), se rapproche selon Miss Harris, d'une estampe de Harunobu.

Henri GUÉRARD

9-10-11-12

Masques japonais, *eaux-fortes en couleurs*, s.d. — B.N., Estampes, don Guérard.

Autre pôle de la technique nouvelle en gravure avec Bracquemond, Henri Guérard s'est livré aussi à toutes sortes d'expériences japonisantes, aidé par la connaissance des objets japonais qu'il avait acquise en illustrant le livre de Louis Gonse (cf. nº 19). Les motifs japonais reviennent souvent dans les fantaisies de ce graveur abondant. Rendant compte de son exposition de 282 eaux-fortes, peintures, etc., chez Bernheim en décembre 1887, Fénéon écrit : « *Dans cette intimité avec les artistes japonais, s'est exalté son vif sentiment des déformations grimaçantes : sur ses cinq douzaines d'éventails, des chats joueurs, de folâtres pithèques, des dragons aux gueules pyrotechniques, des masques déchiquetés par d'horrifiants rictus, des saltimbanques paradoxaux se groupent en scènes d'une fantaisie trop facile mais drôle* », et ailleurs (3e exposition des Peintres-Graveurs, dans *Le Chat noir*, 25 avril 1891) : « *Quand il n'est pas en verve il feuillette le répertoire japonais, et sur fond gris uniforme, les* corbeaux de ses numéros 141 et 142 pastichent la manière vieux-chinoise à Sesshiu». (Nous citerons Fénéon d'après l'excellente édition de Joan U. Halperin, *F. Fénéon, œuvres plus que complètes*, Droz, 1970.) Rien d'étonnant à ce que le japonisme, qui enthousiasma les deux principaux *moteurs* de la nouvelle gravure, se soit propagé avec tant de rapidité dans les ateliers.

Norbert GOENEUTTE
13
La Femme aux écrans, *eau-forte* (Inv. 22, Beraldi 78). — B.N., Estampes.

Ami de Guérard, qu'il a représenté dans son atelier (notre n° 337), Goeneutte peut être classé parmi les « petits maîtres » de la période impressionniste. C'est sans doute Guérard, chez qui il exécuta ses premières eaux-fortes, qui l'initia au japonisme. Cette planche est caractéristique par son analogie avec certains tableaux impressionnistes, en particulier celui de Monet, qui montrent des personnages entourés d'objets japonais.

Henri RIVIÈRE
14
La Mer, étude de vagues n° 1, vague, mer montante, plage de la Garde-Guérin a Saint-Briac, *planche de la première série de bois en couleurs* de 1890. — B.N., Estampes, don Rivière.

Bien que tardif par rapport à l'Impressionnisme, nous présentons un exemple de cette série qui est sans doute le paroxysme du japonisme. Aussi bien le thème de la vague, traitée de façon décorative, vient directement des planches célèbres de Hokousaï, que la technique du bois gravé, avec cette seule différence que la couleur est ici appliquée au pochoir, Rivière n'ayant, pas plus que les autres peintres occidentaux, trouvé de système, avec les encres d'imprimerie, capable d'imiter les légères couleurs japonaises.
   Présentant cette suite lors de la 5e exposition des Peintres-Graveurs en 1893, Fénéon en fait cette description : « *Onze bois en couleurs, d'un art grave et ornemental — et quelle sûreté de métier — sont de M. Rivière. Ils décrivent paysages, mer et gens de Bretagne. L'un se développe en largeur jusqu'à comprendre quelque soixante figures (Le Pardon de Sainte-Anne-la-Palud). Vagues, dit encore le catalogue : là, brisées à la crête du roc, retombent en rubans ; ou, des lointains, elles accourent au rivage, sur la mer plane, en arcs immenses de petite houle écumeuse ; ailleurs, elles circulent par des récifs à fleur d'eau, chatoient et clapotent, rampent et réorganisent leurs moires.* » (*Le Chat noir*, 22 avril 1893.)

HOKOUSAI
15
La Mangwa, *livre illustré de gravures sur bois*, 1819. — B.N., Estampes, anc. coll. Duret.

La Mangwa est un recueil de dix livres de dessins d'Hokousaï reproduits par la gravure sur bois, constituant un répertoire de formes et de compositions à l'usage des artistes. C'est autour de ce recueil que se cristallisa le japonisme. Dans un article récent (*Burlington Magazine*, septembre 1969, p. 562-4), Jacques de Caso a montré que Bracquemond avait vu une copie française (imprimée chez Feillet) de cet album, exposée rue Jacob en 1856. Les artistes français, à la recherche d'un art à la fois naturaliste et décoratif, ont trouvé le dilemne dans lequel ils étaient pris, résolu par ces gravures japonaises, où les sujets les plus triviaux (scènes de rues, acrobates, caricatures) sont traités avec des arabesques raffinées et des équilibres savants de composition.

16

ALBUM JAPONAIS ayant appartenu à Raoul Duseigneur, père du peintre-graveur Georges Duseigneur (1841-1906). — Coll. particulière, Paris.

C'est sans doute l'album le plus anciennement signalé en France : avant l'Exposition universelle de 1866 où furent exposés ceux de Philippe Burty et qui marque ordinairement les débuts officiels du japonisme français. Il prouve que, malgré l'isolement traditionnel du Japon, les échanges ont existé, si réduits fussent-ils, de tous temps. Raoul Duseigneur était un soyeux lyonnais, et il put, entre 1840 et 1860, se procurer un lot de livres illustrés japonais traitant particulièrement du dressage du ver à soie, mais aussi de sujets moins spécialisés. Ses deux fils furent artistes, et Georges appartint à la Société des Aquafortistes. Mme Bailly-Herzberg lui a consacré, en plus de la notice de son livre, un article (*Nouvelles de l'estampe*, nᵒ 9 (1973), p. 15-17), où elle signale un album japonais sur lequel Georges, encore enfant, aurait fait ses premiers croquis : « *Peut-être ce sens de la simplification trouve-t-il son origine et son explication dans le fait qu'Édouard Duseigneur, père de Georges et de Raoul, s'était procuré, sans que nous puissions préciser comment, de nombreux recueils d'estampes japonaises, et ceci dès 1846.* »

17

LE MAGASIN PITTORESQUE, 1856, p. 332 : LA CHASSE AU JAPON, *gravures sur bois*.

Ces quelques pauvres reproductions d'estampes japonaises ont été remarquées à cause de la date de leur publication, à laquelle presque rien de l'art japonais n'avait encore transpiré en Occident, et l'on a pensé que par elles, les artistes nouveaux avaient pu être inspirés. Il y a là un abus d'érudition puisque, d'une part ces reproductions ne donnent aucune idée de ce qu'est une estampe japonaise, et que d'autre part, même à cette date, il y avait d'autres sources qui manifestent l'intérêt porté au Japon, ne serait-ce que l'œuvre considérable du géographe von Siebold, qui laisse une œuvre de japonisant traduite en français dès 1838 (*Voyage au Japon exécuté pendant les années 1823 à 1830... par Ph. Tr. de Siebold*, édition française rédigée par MM. A. de Montry et E. Fraissinet, Paris, Arthus-Bertrand, 1838, fac-simile) et en anglais dès 1841 (*Manners and customs of the Japanese in the XIX c. from recent Dutch visitors of Japan...* London, J. Murray, 1841, in-8ᵒ, XII-423 p.). C'est en 1856 également que F. Hawks publie son « *Narrative of the expedition of an American Squadron to the China Seas and Japan*, Washington, avec ill. fac-s. », premier livre à détailler avec enthousiasme les estampes japonaises. Un autre rapport d'expédition, celui de Laurence Oliphant, *Narrative of the Earl of Elgin's Mission to China and Japan*, London, 1859 avec des reproductions de dessins et de gravures sur bois d'Hiroshigé fut traduit (sans illustration) en français l'année suivante.

18

CHASSIRON, (GUSTAVE-CHARLES-ALEXANDRE-MARTIN, BARON DE). *Notes sur le Japon, la Chine et l'Inde... 1858-1859-1860.* — Paris, E. Dentu, 1861. In-8ᵒ, XI-356 p., pl. en couleurs. — B.N., Imprimés.

Le Japon s'ouvrit au commerce en 1854, date d'un traité passé avec les États-Unis, mettant fin à un isolement qui avait fait ignorer l'art japonais en Occident. Le baron de Chassiron fit partie de la première mission française officielle qui devait aboutir à la création d'une ambassade et à l'établissement de rapports réguliers. Dans ce rapport furent publiés les premiers fac-simile d'estampes japonaises diffusés en France. Bien que T. Duret affirme que « *cette reproduction avait passé inaperçue* », Chassiron nous offre la première réaction française devant ces estampes qu'il sut bien distinguer. Le 6 octobre 1858, à Yedo, il note qu'il a arraché des mains de l'un des officiers japonais, à l'étalage d'une boutique, une liasse d'estampes colorées, et de cartes — l'officier voulait surtout qu'on n'emportât point les cartes : « *Ces petits livres, imprimés ou gravés sur bois, je ne sais encore, avec le plus grand soin, bien mieux incontestablement que les manuels semblables en usage en France, servent à l'éducation du peuple; ils sont du plus bas prix, de la valeur de 25 à 30 centimes de notre monnaie, par conséquent à la portée de tous* » (p. 114-115). Le volume contient des fac-simile d'estampes sur les Travaux à la campagne et de Hokousaï.

19

Louis GONSE. *L'Art japonais.* — Paris, Quantin, 1883. 2 volumes, exemplaire sur papier japon avec les eaux-fortes d'Henri Guérard en deux états. — B.N., Estampes.

Louis Gonse était directeur de la *Gazette des Beaux-Arts* où il avait déjà publié les premiers articles révélant l'art japonais, celui d'Ernest Chesneau (*Le Japon à Paris*, 1878, II, 385-397) puis celui de Théodore Duret sur Hokousaï (août-octobre 1882), dont le Cabinet des estampes possède un tiré-à-part dédicacé à Zola. En 1883, Gonse organisa avec les collections parisiennes de plus en plus nombreuses, une grande exposition d'art japonais et, la même année, publia ces deux volumes, dont les illustrations furent confiées à Guérard. Celui-ci, graveur de reproduction d'un talent incontesté, était également très lié aux graveurs de l'avant-garde qu'il initiait, par sa grande technique, aux cuisines de la taille-douce et de la gravure sur bois. Il était à ces deux titres tout désigné pour parfaire ce long travail qui fit date.

20

LE JAPON ARTISTIQUE, revue mensuelle publiée par Bing de mai 1888 à avril 1891. — B.N., Estampes.

Robert Koch a raconté (*Gazette des Beaux-Arts*, mars 1959, p. 179-190) comment Samuel Bing, industriel céramiste allemand, avait installé à Paris en 1871 le premier commerce d'objets d'art d'Extrême-Orient et comment, à la suite de son voyage au Japon (1875) il est devenu, surtout après 1878, l'un des diffuseurs les plus actifs de l'art japonais. De 1888 à 1891, il publia cette revue de qualité qui contribua encore plus à mettre le japonisme à la mode, puisque tous les critiques et artistes d'avant-garde affluaient dans sa boutique. Il devint ensuite (1895-1905), le promoteur de ce qu'on nomma, après lui, « L'Art Nouveau », dont le japonisme demeure une importante composante.

III. MANET ET GOYA

Comme celui du japonisme, le problème de l'hispanisme, à la mode depuis Louis-Philippe, a été profondément fouillé, et nous ne nous y attarderons pas, puisqu'une exposition entière a été consacrée à Ann Arbor (Michigan) à *Manet et l'Espagne* en 1969 avec un excellent catalogue de Joël Isaacson et une abondante bibliographie. Nous retiendrons seulement son regard sur le travail d'aquafortiste de Goya, qui connaissait alors en France un regain d'intérêt dans les années 1860. Après 1858, on constate une nouvelle vague d'éditions goyesques, parmi lesquelles les *Majas*, et le *Guitariste aveugle*. *La Tauromachie* avait été rééditée en 1855, les *Désastres* en 1863, les *Proverbes* en 1864, les *Caprices* en 1855 et 1868. L'estampe de Manet *Le Guitarrero* date donc de l'année qui suit la publication de celle de Goya; *Fleur exotique* de l'année de la réédition des *Caprices*, qu'il connaissait sans doute déjà par l'édition Lumley et par la reproduction de *Bellos Consejos* qu'avait donnée Carderera dans la *Gazette des Beaux-Arts* du 15 août 1860. Ces parentés ont d'ailleurs été mises en valeur par J. Adhémar dans la préface de l'exposition Goya *(Goya et la France)* à la Bibliothèque nationale en 1935.

Mais il importe d'expliquer ces sources, par-delà les modes. Duret nous dit déjà que Manet appréciait la manière de travailler l'eau-forte de Canaletto. C'est cette manière, brillante et agitée, qui passe des Vénitiens du XVIIIᵉ siècle à l'Impressionnisme, par l'intermédiaire de Goya. Celui-ci y ajoute un réalisme impitoyable, souvent caricatural, qui ne pouvait pas laisser indifférent le réaliste Manet. Il trouve donc chez Goya une réponse à ses problèmes, mais une réponse encore romantique qu'il cherche à rendre plus sèche dans des compositions plus brutales, d'où sont exclus les effets artificiels. Certainement Goya, Delacroix et Manet se succèdent en ce domaine comme dans une même famille.

Édouard MANET
21-22-23-24
Le Guitarrero, *eau-forte*, 1861 (G. 16, H. 12), 2ᵉ, 3ᵉ, 4ᵉ et 5ᵉ états. — B.N., Estampes, anc. coll. Moreau-Nélaton.

Francesco GOYA
25
Le Chanteur aveugle (El Cantor ciego), *eau-forte*, première édition, probable-

11

ment faite à Paris dans la seconde moitié du XIXe siècle (Harris 35). — B.N., Estampes, anc. coll. Lefort.

L'eau-forte de Manet est de première importance, puisqu'elle est issue de son premier succès au Salon, en 1861, avec un tableau de ce motif (aujourd'hui à New York). Elle marque d'emblée son goût pour le genre espagnol alors à la mode : Courbet avait déjà exposé un *Guitarrero* en 1845. On a trouvé à cette eau-forte bien des correspondants depuis le *Guitariste* de Marc-Antoine Raimondi aux *Chanteurs espagnols* que Legros exposa à ce même Salon. Ce sont des rapprochements fortuits, puisque, ce qui importe c'est l'originalité et la force que Manet sut imprimer à son modèle, suivant, là encore, croyons-nous, l'exemple de Goya et bien loin de Raimondi !

    Le premier état de cette eau-forte, reproduit par Guérin, n'est connu que par la photo qu'il en donne. Il dit en connaître deux épreuves, mais, en fait, aussi bien celle de la Bibliothèque nationale (dédicacée à Jules Vibert) que celle de Budapest sont évidemment des 3e états. Le catalogue de J. Harris n'apporte pas de clartés : les photos qu'elle donne sont erronées, celle du 1er état est en fait un 2e (signé), et elle n'en connaît pas la localisation. On ne connaît donc plus que 4 états, tous présentés ici. Malgré le difficile travail qu'ils révèlent, et auquel Manet semble s'être acharné, celui-ci ne jugeait pas favorablement le résultat (comme le prouve une lettre publiée par J. Adhémar, *Nouvelles de l'estampe*, 1965, p. 231), qui fut tiré chez Delâtre, sans doute pour exploiter le succès que le tableau avait eu au Salon.

ÉDOUARD MANET
26
FLEUR EXOTIQUE, *eau-forte et aquatinte*, 1868 (G. 51, H. 57), 2e (dernier) état. — B.N., Estampes, anc. coll. Moreau-Nélaton.

FRANCESCO GOYA
27
DIOS LA PERDONE Y ERA SU MADRE, (Caprices, pl. 16), *eau-forte et aquatinte* (H. 51). — B.N., Estampes, anc. coll. Béjot.

On connaît bien l'histoire de cette planche de Manet, puisque M. Guérin a publié *in extenso* la lettre de Philippe Burty demandant à Manet de participer au recueil *Sonnets et eaux-fortes*, et l'acceptation de ce dernier : « *C'est convenu, je ferai une eau-forte sur le sonnet de M. Renaud. Vous aurez la complaisance de m'envoyer une planche de la plus grande dimension..., et de me dire à quelle époque il est nécessaire d'être prêt* » (J. Adhémar, *Nouvelles de l'estampe*, 1965, p. 231). Il faut noter que 1868 est l'année de la 3e édition des *Caprices* par la Chalcographie de Madrid, qui en avait déjà tiré une en 1855. En comparant les planches n° 15 et 16 avec celle de Manet, on ne peut pas ne pas constater combien Manet avait été intéressé par la composition et le travail de la pointe, à la fois minutieux et brusque, de Goya.

ÉDOUARD MANET
28
AU PRADO, DEUXIÈME PLANCHE, *eau-forte et aquatinte*, 1868 (G. 46, H. 45), 2e (dernier) état. — B.N., Estampes, anc. coll. Moreau-Nélaton.

FRANCESCO GOYA
29
QUIEN MAS RENDIDO, (Caprices, pl. 27), *eau-forte et aquatinte* (H. 62). — B.N., Estampes, anc. coll. Béjot.

Guérin, pour qui cette planche était un « souvenir du voyage de l'artiste en Espagne »,

25   Goya   24   Manet

29   Goya   28   Manet

la datait de 1865, date où Manet avait noté l'intérêt du motif du Prado d'après nature. J. Harris pense plutôt, pour des raisons de style que nous partageons, que la planche dut être exécutée dans la même période que *Fleur exotique*. On peut retrouver d'autres ressemblances entre des planches des *Caprices* et les eaux-fortes de Manet. L'important est d'expliquer la concordance de style qui fit reprendre l'écriture de Goya, très libre, procédant par petites virgules à la pointe et ménageant des blancs presque « pointillistes », en tous cas donnant l'impression d'une vibration, d'un scintillement noir et blanc. Cette écriture mouvementée, liée à des compositions souvent déséquilibrées, dramatiques, c'est justement ce que cherchait Manet dans son approche d'un réalisme visuel et immédiat.

IV. DEGAS ET REMBRANDT

Grâce aux travaux de P. Moses et de J. Adhémar, nous saisissons mieux la chronologie de l'apprentissage de l'eau-forte par Degas, et les problèmes qui furent les siens. Après une période obligatoire de balbutiements (Adhémar n° 1 à 5), apparaît autour de la fin de l'année 1857, — Degas était à Rome — un groupe d'estampes qui rompt totalement avec ce qui précède par une perfection technique incontestable. La seule estampe vraiment datée est le pseudo-*Autoportrait*, autour duquel se groupent l'*Autoportrait au chapeau mou*, le *Portrait du grand-père* et du *frère de Degas*, la copie de Rembrandt, et les *portraits de Tourny*. Le visage de ce dernier prend alors une singulière importance, puisque si les premières planches ont été surveillées par Soutzo, un amateur, c'est avec Tourny, pensionnaire de l'Académie à Rome, que Degas atteint, très vite, son summum. La vision rembrandtesque est peut-être plus importante encore. Lemoisne écrit que la consultation par Degas, au Cabinet des estampes, des albums de Mantegna, Goya ou Rembrandt « *éveilla en lui le graveur* ». Sans eux, certainement, ses expériences n'auraient pas été aussi fulgurantes. Il est hors de question de dire que Degas *doit* quelque chose à Rembrandt. Pour un art aussi nouveau, la notion d'influence est absurde, car elle semble être subie. C'est un choix, pour Degas, de trouver une réponse à des problèmes qu'il eut, en commun, avec Rembrandt : problème du réalisme et du rendu de la sensation sans passer par des conventions intellectuelles, qui cherche à être résolu dans les deux cas par une écriture plus immédiate, composition sans schéma géométrique préconçu, mais repensée chaque fois en fonction du sujet, taille plus spontanée, aux traits ouverts, comme jetés et parfois inachevés, morsure délicate et bien maîtrisée pour donner des effets plus authentiques de lumière naturelle, modelé des volumes par l'ombre et non par un contour, notion trop intellectuelle, et enfin, recherche de l'expression vraie, naturelle, qui passionnait l'un et l'autre ; Degas, écrit dans un carnet : « *Faire de la tête d'expression..., une étude du sentiment moderne. La Beauté doit n'être qu'une certaine physionomie.* » L'un et l'autre cherchèrent cette sincérité dans l'autoportrait et le portrait des proches parents.

EDGAR DEGAS
30-31-32-33
AUTOPORTRAIT, *eau-forte*, 1857 (L.D. 1, Adhémar 13, Moses 9).
1er état. — B.N., Estampes, épreuve de l'atelier Degas (Vte Fèvre no 6);
2e état. — B.N., Estampes, anc. coll. Rouart;
3e état. — B.I.A.A., anc. coll. Burty et Doucet, signée, datée au crayon en bas à droite : *Degas, 1857*;
5e état. — B.I.A.A., anc. coll. Doucet, signée au crayon en bas à droite : *planche après essuyage, dernier état, Florence, 1857*.

Cette planche résume à elle seule l'Impressionnisme. Degas s'est représenté dans un audacieux contre-jour où les taches d'acide, ajoutées au 2e état, viennent renforcer le travail des fines hachures par lesquelles sont modelés les volumes. Delteil classait cette eau-forte comme la première de Degas, ce qui, eu égard à la délicatesse consommée des morsures, est fort improbable, d'autant que sur deux états apparaît la date 1857 (3e état et 5e état, épreuves de la coll. Doucet); encore convient-il de noter que ces dates ne sont que manuscrites, et que, si elles ont été apposées par Degas sur les marges, elles peuvent l'avoir été très postérieurement. Moses en la comparant au pseudo-autoportrait (cf. notre no 36), daté lui, dans la planche, *8 novembre 1857*, en déduit qu'elle a du être exécutée à la fin de l'année également. Mais il ne semble pas que Degas soit allé à Florence à cette date; en novembre, il était à Rome. Il était à Florence au début de l'année, et y retourna longuement en août 1858. Elle semble bien remise à sa place dans le catalogue de J. Adhémar. Mais si le dessin a été fait à Florence, la morsure et l'impression ont pu être faits à Rome.
    Les Collections nationales ont la chance de posséder quatre des cinq états connus de cette œuvre très rare, ce qui permet de suivre le travail de l'artiste, et de voir comment, dans sa progression vers l'effet de clair-obscur, il avait retenu les leçons de Rembrandt. Les deux premiers états n'existent qu'en deux exemplaires chacun, l'autre étant au Metropolitan Museum.

EDGAR DEGAS
34
PORTRAIT DU GRAND-PÈRE DE DEGAS, *eau-forte*, 1857 (L.D. 2, Adhémar 6, Moses 4). — B.I.A.A., anc. coll. Burty et Doucet.

REMBRANDT
35
TROIS ÉTUDES DE TÊTES DE VIEILLARDS, *eau-forte*, 1630 (Bl. 303, B.-B. 30-9). — B.N., Estampes.

L'épreuve de la collection Burty est datée au crayon, *Naples 1857*, celle de la Bibliothèque nationale, *Naples 1856*, également au crayon. Moses préfère 1856 pour des raisons stylistiques (elle doit être antérieure au portrait de René Degas) qui ne nous semblent pas évidentes. Cette eau-forte reprend un tableau (Lemoisne 23) donné comme le portrait d'Auguste Degas, père de l'artiste. On retrouve le personnage dans une sanguine figurée à l'arrière-plan de la célèbre Famille Belleli (Louvre). J. Adhémar pense qu'il s'agit du grand-père de l'artiste, qui venait alors de mourir. Nous voulons apporter un argument à cette hypothèse : dans le carnet XV (page 21) est dessinée une silhouette que Degas reprit en peinture pour le portrait du grand-père, René-Hilaire; page 22, une autre qui est à l'évidence le personnage représenté dans cette eau-forte; page 23, une troisième qui ressemble davantage au portrait peint du grand-père. Il semble certain que ces trois études concernent le même personnage, et que l'eau-forte est bien le portrait du grand-père. Ce point est de fort peu d'importance, puisque, dans tous les cas, Degas a cherché l'étude naturaliste d'un vieillard représenté de façon intime, sur une planche à peine mordue par

30

31

32

33

E. Degas f.

l'acide (l'épreuve de la B.N. est très pâle, à peine visible par endroits), et là encore se retrouve dans la situation de Rembrandt, attentif, au début de sa carrière, à graver des motifs authentiques, naturels et intimes, et pour cela choisis souvent parmi ses proches, ou des modèles anonymes.

EDGAR DEGAS

36
PORTRAIT D'UN INCONNU (dit, à tort, « Autoportrait »), *eau-forte*, 8 novembre 1857, épreuve rehaussée, (L.D. 5, Adhémar 10, Moses 6). — B.N., Estampes.

37
JEUNE HOMME ASSIS AU BÉRET DE VELOURS, *eau-forte* d'après Rembrandt, vers 1857 (L.D. 13, Adhémar 11, Moses 6). — B.N., Estampes, anc. coll. Beurdeley.

REMBRANDT

38
JEUNE HOMME ASSIS AU BÉRET DE VELOURS, *eau-forte*, 1637 (portrait présumé de Ferdinand Bol), 2e état (Bl 258, B.-B. 37 C). — B.N., Estampes.

Le pseudo-autoportrait de Degas est d'une particulière importance puisqu'il est daté dans la planche : *8 novembre 1857*. A cette date, Degas était à Rome. Il note dans ses carnets, le 13 novembre, qu'il a vu la Galerie Corsini. Ce portrait ne serait-il pas alors un autre portrait de Tourny, avec qui le personnage a une ressemblance manifeste? Les recherches techniques compliquées pour obtenir une teinte et, en particulier l'emploi (sur l'épreuve ici présentée) d'effets de rehauts, annonçant la technique du monotype ou de l'encrage, se situe en parfait accord avec les essais du même genre poursuivis sur des épreuves du *Portrait de Tourny*. Degas cherchait par-dessus l'eau-forte, des effets uniques (il appelait cela l'estampe originale, c'est-à-dire dont il n'existe qu'une seule épreuve), et la gravure ne lui servait que de support à des expériences plus nombreuses : il existe des variantes du portrait de Tourny difficiles à classer dans des états, tant l'épreuve est chargée de travaux peut-être à la main. La composition du pseudo-*Autoportrait* est certainement inspirée de Rembrandt, qui faisait aussi poser ses camarades d'atelier (F. Bol ?). L'attrait de Degas pour ce genre d'étude est attesté par la copie qu'il fit du *Jeune homme au béret*. Il faut noter que, dans ce même carnet de novembre 1857, il est très passionné par les effets de contre-jour et de clair-obscur rembrandtesques.

à Mon ami Gachet
C. Pissarro

43

V. PISSARRO ET L'ÉCOLE DE BARBIZON

Sans abuser du « pré-impressionnisme » qui, si on le juge par un certain goût de la nature et de la lumière, peut comprendre tout l'art classique, il faut constater que l'approche qui y conduit fut facilitée par la pratique du paysage, genre très prisé des propriétaires du XIXᵉ siècle. Il est plus difficile de n'être pas naturel devant la nature. Tout peintre de plein-air n'est point impressionniste, et l'impressionnisme ne se résout pas à juxtaposer, sans valeurs intermédiaires, l'ombre et la lumière. Mais beaucoup de paysagistes du XIXᵉ siècle, en étant amenés à pratiquer ainsi, préparaient l'œil à appliquer ces recettes dans une théorie plus systématique de la peinture *de ce qui est vu*. Cette approche est fort sensible dans l'estampe de paysage, plus rare que les tableaux du même genre. Encore romantiques, Corot, Millet, Daubigny, sont prisonniers de cet apprêt qui fait de leurs paysages encore un peu des vues de l'esprit, contre quoi s'insurgea Pissarro, le seul vraiment paysagiste parmi les principaux graveurs impressionnistes. Mais, s'insurgeant contre eux, il leur reconnaît la préséance, ayant été, à ses débuts, guidé par eux, comme le montrent ces quelques rapprochements.

Jean-Baptiste COROT
39-40
Le petit berger, 2ᵉ planche, *cliché-verre*, 1855 (L.D. 50), 1ᵉʳ état, anc. coll. Moreau-Nélaton, et 2ᵉ état, anc. coll. Bouasse-Lebel. — B.N., Estampes.

41-42
Les Jardins d'Horace, *cliché-verre*, 1855 (L.D. 58), 2ᵉ état et contre-épreuve. — B.N., Estampes, anc. coll. Moreau-Nélaton.

Camille PISSARRO
43
Au bord de l'eau, *eau-forte*, v. 1863 (L.D. 2), état unique. — B.N., Estampes, anc. coll. Gachet (épreuve dédicacée au docteur Gachet).

Pissarro, à son arrivée à Paris, s'intitula « élève de Corot » pour se présenter au Salon, sans qu'on sache exactement quels furent les rapports entre les deux artistes, et même s'il y en eut. Ce qui est certain, c'est que Pissarro fut longtemps enthousiasmé par la vision de Corot sa clarté, sa palette, avant de se dégager de ce qu'il contenait encore de romantique et d'affecté. Sa première eau-forte est manifestement dans la manière de Corot, par le dessin des arbres en particulier, la lumière qu'il cherche très égale, sans brusquerie, par un réseau de fines hachures et par le choix du sujet enfin, où les personnages n'ont qu'un rôle assez douteux, comme chez Corot ; à défaut de rapports historiques documentés, les apports techniques entre Corot et l'estampe impressionniste sont clairs. On sait que Corot fut surtout adepte du cliché-verre, technique d'esprit impressionniste s'il en fût, puisqu'il s'agit d'imprimer avec la lumière du soleil, sur des papiers photographiques, à travers des plaques de verre dessinées. Ainsi Hédiard, l'historien de cette technique, nous dit des *Jardins d'Horace* qu'« *il a été tiré des épreuves différentes et selon qu'elles sont plus ou moins claires l'effet change, on pourrait croire que l'heure avance* » (« Les procédés sur verre », *Gazette des Beaux-Arts*, 1903, II, p. 414). Il est étonnant que Degas ne se soit pas intéressé à ce procédé, qui toucha, grâce à son initiateur, Dutilleux, les principaux peintres de l'avant-garde de 1830 : Delacroix, Daubigny, Millet, Huet, Jacque, Corot surtout qui en exécuta 66. Grâce à la collection Moreau-Nélaton, ancienne collection Robaut (parent de Dutilleux), le Cabinet des estampes possède la collection complète de ces clichés-verres, souvent en plusieurs états, avec contre-épreuve, à l'exception des n° L.D. 76 et 77, dont aucune épreuve n'est connue.

Jᴇᴀɴ-Fʀᴀɴçᴏɪs MILLET
44
Lᴀ Cᴏᴜsᴇᴜsᴇ, *eau-forte*, 1855 (L.D. 9), 2ᵉ état sur 3. — B.N., Estampes, anc. coll. Curtis.

45
Lᴀ Vᴇɪʟʟᴇᴇ, *eau-forte*, 1856 (L.D. 14), 1ᵉʳ état. — B.N., Estampes, anc. coll. Sensier et Curtis.

Cᴀᴍɪʟʟᴇ PISSARRO
46-47
Pᴀʏsᴀɴɴᴇ ᴅᴏɴɴᴀɴᴛ ᴀ ᴍᴀɴɢᴇʀ ᴀ ᴜɴ ᴇɴғᴀɴᴛ, *eau-forte*, 1874 (L.D. 12), 2ᵉ et 4ᵉ états sur 4. — B.N., Estampes, anc. coll. du Musée du Luxembourg.

Les paysans de Pissarro et ceux de Millet ont fait l'objet de fréquents rapprochements. Sur la foi de thèmes semblables, on fait de Pissarro un successeur de Millet. Pissarro s'en offusquait : « *C'est moi qui suis juif, mais lui est biblique* », disait-il. Certainement Millet est un grand précurseur, qui a, le premier, étudié le travail du paysan, et cette iconographie du travailleur précède directement celle de Pissarro et de Degas. Même lorsque Degas dessine des danseuses, ce n'est pas un spectacle mondain qu'il étudie, mais le travail de la danseuse. Cependant il faut évidemment convenir avec Pissarro que l'esprit dans lequel Millet dessinait était largement dépassé. Au paysage plein de noblesse, d'une rudesse idéalisée, chez Millet, succède l'étude plus naturaliste, que Hind a même qualifiée — sans être péjoratif — de « grotesque », chez Pissarro qui n'hésite pas à rendre la disgrâce parfois caricaturale de l'effort, chez la paysanne cueillant des haricots ou dans un champ de choux. On retrouve pourtant encore les mêmes gestes chez Millet et Pissarro : la porteuse de seaux, le bêcheur, le semeur, la *Baratteuse* (Millet, L.D. 10 et Pissarro, L.D. 162). L'écriture de Pissarro est plus savante que celle de Millet, encore trop linéaire, mais on retrouve ce dessin clair issu de Millet dans certaines planches de Pissarro (*Femme portant des seaux*, épreuve unique, à la Bibliothèque de l'Institut d'art), et la curieuse planche du Cabinet de Berlin faussement attribuée à Pissarro (reproduite à la fin du catalogue Delteil) pourrait être d'un émule de Millet.

49   Ch.-F. Daubigny

50   C. Pissaro

CHARLES-FRANÇOIS DAUBIGNY
48-49
LE LEVER DU SOLEIL, *eau-forte*, 1850 (L.D. 67, Henriet 61), 1er et 3e états. — B.N.,
Estampes, anc. coll. Curtis.

CAMILLE PISSARRO
50
SOLEIL COUCHANT, *pointe-sèche* (L.D. 22), 4e état sur 4. — B.N., Estampes, anc.
coll. du Musée du Luxembourg.

Daubigny n'est vraiment lui-même, en matière de gravure de paysages, qu'à partir du
Cahier d'eaux-fortes de 1851 (exécutées en 1850), qui s'ouvre par une pièce d'un « impressionnisme saisissant », surtout si on la compare à l'une des meilleures réussites luministes
de Pissarro (L.D. 22, ou L.D. 3 : *Prairie près d'Asnières*, 1864). On voit aussi que le premier
état est plus près de Pissarro que le 3e, et l'on comprend qu'il a manqué à Daubigny
l'audace de laisser intacte sa première impression, gâtée par le traitement plus académique
des autres (représentation du ciel, des ombres, plus convaincants lorsqu'ils ne sont encore
que suggérés). Même remarque pour *Le Verger* (1868) dont le 1er état (coll. Lucas, Baltimore) est supérieur par sa luminosité au 3e, reproduit dans *Sonnets et eaux-fortes*. On
trouve de nombreuses parentés entre les eaux-fortes de Daubigny et celles de Pissarro,
qui montrent le rôle très important joué par le peintre d'Auvers sur la génération impressionniste : *L'Ondée* (L.D. 85, 1951) présente un contre-jour semblable à celui de *La Rentrée
du berger* (L.D. 82, 1889), *L'Arbre aux corbeaux* (L.D. 120, 1867) précède, par sa morsure
profonde, le *Champ labouré* de Pissarro (L.D. 26, v. 1879), etc. Après 1875, l'influence fut
en retour, et Daubigny éclaircit ses eaux-fortes, libère ses contours; ses cinq dernières
appartiennent vraiment à l'école impressionniste.

CHARLES-FRANÇOIS DAUBIGNY
51
CLAIR DE LUNE A VALMONDOIS, *eau-forte*, 1877 (L.D. 127, Henriet n.d., Beraldi 117),
publiée dans *L'Illustration nouvelle* (1877) et dans la *Gazette des Beaux-Arts* (1878,
p. 346-347). — B.N., Estampes, anc. coll. Curtis.

CAMILLE PISSARRO
52
PRAIRIES ET MOULINS A OSNY (PONTOISE), *eau-forte*, 1855 (L.D. 59), 6e (dernier)
état annoté par l'artiste : *n° 4 épreuve d'artiste (extra)*. — B.N., Estampes, anc.
coll. du Musée du Luxembourg.

53
VACHES DANS LES PRAIRIES D'ÉRAGNY, *eau-forte*, 2e état sur 2, 1888 (L.D. 78). —
B.N., Estampes, anc. coll du Musée du Luxembourg.

54
PRAIRIES A BAZINCOURT, *pointe-sèche*, 4e état sur 4, 1888 (L.D. 79). — B.N.,
Estampes, anc. coll. du Musée du Luxembourg.

CHARLES-FRANÇOIS DAUBIGNY
55
POMMIERS A AUVERS, *eau-forte*, 1877 (L.D. 126, Henriet n.d., Beraldi 116), 2e état

sur 4 publiée dans *L'Illustration nouvelle*, 1877. — B.N., Estampes, anc. coll. Curtis.

CAMILLE PISSARRO
56
PAYSAGE A PONTOISE, POMMIERS, *pointe-sèche*, 1873 (L.D. 8). — B.N., Estampes, anc. coll. du Musée du Luxembourg.

On suit ici l'évolution parallèle des deux principaux graveurs paysagistes. En 1877, Daubigny a 60 ans, ce sont ses deux dernières eaux-fortes. Pissarro, en 1873, n'en est qu'à ses débuts de graveur, il a 43 ans. Le rôle de Daubigny a été récemment mis en valeur par la thèse de Madeleine Fidell-Beaufort (malheureusement inédite). Dans sa conclusion, elle trace le bilan de l'apport de Daubigny, « *par exemple le concept de modernisme ou art exécuté directement au moment il est conçu, qui a été longtemps associé aux impressionnistes* ». Elle rappelle que Camille Pissarro n'aurait sans doute pas peint certains motifs réalistes ou urbains sans le précédent des vignettes exécutées en grand nombre par Daubigny, et que Mme Beaufort est la première à étudier en détail. Pour elle, « *sans aucun doute, Monet apprit à trouver de la poésie dans la fumée des usines, des ponts de chemin de fer à travers de semblables illustrations* ». Nous pensons, comme elle, que la vision réaliste devant un paysage, Daubigny l'eut avant Pissarro, même s'il n'avait pas encore tous les moyens d'en communiquer la sincérité.

67. — A. Delâtre, monotype.

VI. P. HUET, A. DELATRE, CH. JACQUE

Paul Huet

Peintre, Paul Huet ne saurait être assimilé au mouvement impressionniste qu'il précéda de loin. Graveur, il en est en partie contemporain, puisque son œuvre se partage en deux : avant 1838, où il est romantique avancé, et après 1866 où il tient compte des recherches pré-impressionnistes. Déjà, en 1828, il avait su insuffler à l'eau-forte de paysage une vibration hardie, que Burty signale dès 1869 (*Gazette des Beaux-Arts*). Mais son album d'eaux-fortes, publié en 1835, fut un échec, et ne sort pas d'un romantisme pastoral. En 1866, il publia dans la *Société des Aquafortistes* une planche du style de Barbizon, *Près de Fontainebleau* (L.D. 16, B. 68), et en 1868, un second cahier, plus abondant que le premier. Il laissait à sa mort dix-sept inédits, publiés en 1869 par son fils, avec plus de succès que son premier album. Ce décalage montre bien qu'il était en avance sur son temps. Encore romantique, certes, il évolue vers des effets plus réalistes et visuels. Son écriture légère (*Saulée aux environs de Paris*, L.D. 19) ou son iconographie nouvelle (*La Fabrique*, L.D. 78) font parfois penser à Pissarro *(Fabrique près de Pontoise)*. Il resta en contact avec la *Société des Aquafortistes* dont il était membre, et nous sommes très tentés de suivre Janine Bailly-Herzberg dans l'attribution à P. Huet de la planche publiée comme *anonyme* ainsi que nous l'avons expliqué avec des photos (*Nouvelles de l'estampe*, nº 7, 1973, p. 43).

57
CHAUMIÈRE DANS LA FORÊT, *lithographie*, v. 1830 (L.D.n.d.). — B.N., Estampes, anc. coll. Devéria.

Cette planche, qui a échappé à Delteil, semble être demeurée inédite. On peut penser à une date légèrement antérieure à 1830, vu le traitement très romantique du thème, mais ce procédé de grattage de la lithographie est important pour comprendre les lithographies impressionnistes, en particulier de Degas, plus tard de Carrière. Procédé très apprécié des romantiques (Delacroix, *Macbeth et les sorcières*, *Portrait du baron Schwitter*), on le trouve ici dans un exemple moins connu. Delacroix, dans une lettre souvent citée, en a expliqué le principe. Il permet d'obtenir des formes dont le volume est modelé dans l'encre même, sans faire appel au contour, des nuances directement graduées par l'effaçage, un aspect pictural qui a toujours plu aux graveurs originaux. Les autres lithographies de P. Huet ne nous intéressent guère, son album de *Marines* (1832) n'a rien de comparable à celui d'Isabey.

58

INTÉRIEUR DE FORÊT, *cliché-verre*, v. 1866 (L.D.n.d.). — B.N., Estampes, anc. coll. Curtis.

Sollicité aussi (cf. Corot) par Dutilleux pour faire des clichés-verre, Huet s'était déjà intéressé au procédé puisque, selon Hédiard, il en avait fait un, suivant la méthode brevetée par Barthélémy Pont (1855). Il en fit six pour l'*Album auto-photographique*, 1866.

59

VIEILLES MAISONS SUR L'ANCIEN PORT DE HONFLEUR, *eau-forte*, 1866, (L.D. 32, B.n.d.). — B.N., Estampes, anc. coll. Curtis.

60

MÊME MOTIF : DEUXIÈME PLANCHE, *eau-forte* (L.D. 33, B. 84), tirage pour la *Gazette des Beaux-Arts* (juin 1911) épreuve sur chine appliqué. — B.N., Estampes, anc. coll. du Musée du Luxembourg.

La Bibliothèque nationale possède la première planche, abandonnée après deux ou trois épreuves. Elle montre que Huet, s'il en était resté là, aurait pu être qualifié d'impressionniste. Mais l'aquatinte manque, qu'aurait sans doute utilisée Pissarro, familier du thème des vieilles maisons normandes. Les imprécisions de la première planche, son tirage plus encré, son ciel laissé au nuage d'encre, non travaillé à la pointe, en font une planche impressionniste. On peut faire la différence avec la *Vue générale de Rouen*, eau-forte de 1834, publiée après sa mort (L.D. 22, B. 71), avec des nuages encore académiques mais des volumes (collines) traitées sommairement, ou avec la belle *Cour normande dans la Vallée d'Auge*, 1866 (L.D. 31, B. 83) plus visuelle, avec des essais de vibrations impressionnistes.
　　Nous ne savons sur quoi s'appuie Delteil pour affirmer qu'il y a deux planches. Il pourrait s'agir de deux états, car le dessin est identique, et les dimensions aussi. Le premier cuivre est, selon lui, détruit. La 2e planche seule est signée.

61

LE CAVALIER (UN ORAGE A LA FIN DU JOUR), *eau-forte*, 1868 (L.D. 35, B. 86), 3e et dernier état après réduction du cuivre. — B.N., Estampes, anc. coll. Bouillon.

62

LA MÊME GRAVURE, CONTRÉPREUVE TIRÉE EN MANIÈRE DE MONOTYPE, 1868. — B.N., Estampes, anc. coll. Rouart et Curtis.

C'est la dernière estampe de Paul Huet, elle est moins impressionniste que ses *Baigneuses* de 1867, où l'effet lumineux était obtenu par des ruptures de contour et des contre-jours savants qui rappellent l'*Autoportrait* de Degas. Mais il est intéressant de montrer ici un monotype de Paul Huet, non catalogué par Delteil, qui prouve que l'idée du monotype était dans l'air et tentait tous ceux que séduisaient les recherches de réalisme visuel et de spontanéité de la sensation, même s'ils n'appartiennent pas, historiquement, au groupe impressionniste.

61   Eau-forte

                                          Eau-forte et monotype
62

Auguste DELATRE
63-64-65-66
La Charrue, 1854; Le Soir, v. 1860; Cour de ferme, 1872; Les Falaises, 1873
(Inv. n° 1, 6 et 8), *quatre vignettes à la pointe-sèche*. — B.N., Estampes, don Quesne-ville.

67-68-69
Effets de lune, *Trois vignettes en couleurs, monotypes*, v. 1880, (Inv. n° 8). — B.N., Estampes.

Delâtre fut non seulement le principal imprimeur des impressionnistes, mais surtout un « imprimeur impressionniste ». Par sa façon d'imprimer les tailles-douces, il contribua à caractériser un style impressionniste d'estampes, aux effets d'encrages abondants et fugitifs. Artiste contrarié, il reporta sur son métier d'imprimeur son goût de la création. Il considérait que l'imprimeur devait, par le jeu des encrages, embellir l'œuvre et au besoin suppléer à l'artiste. Son œuvre personnelle de graveur, rarement montrée, consiste en minuscules vignettes très significatives de cette conception et typiques du mouvement impressionniste en gravure. Ce sont véritablement des « impressions » colorées à l'encre, œuvres « rétiniennes » aux formes insaisissables et légères, qu'on peut souvent assimiler aux monotypes, tant la gravure même y a peu d'importance, et très proches de certains effets de Whistler, auxquels Delâtre a d'ailleurs largement contribué.

Imprimeur à douze ans, il travailla chez Ch. Jacque et chez Marvy avant de fonder son imprimerie en 1850. Il imprima des œuvres de Méryon, Millet, Corot, Jongkind, Daubigny, Bracquemond, Manet, Whistler, Pissarro. Il comprit qu'il se trouvait à l'époque où la gravure n'était plus un moyen de reproduction, mais une œuvre qui devait s'aligner sur le dessin, d'où son esthétique de « l'œuvre unique » et de « l'imprimeur-artiste » qui plut à ses clients et amis, mais qui, trop systématique, lui fut ensuite reprochée (par Pissarro et Whistler) à cause des effets faciles qu'elle autorisait. « *Il faut être artiste pour imprimer des eaux-fortes, il ne suffit pas de connaître le métier mécanique c'est pour cette raison qu'après j'ai imprimé tous les artistes* », dit-il dans une conférence après 1900 : « *Ils n'ont jamais vu en moi un imprimeur ordinaire, mais ils m'ont toujours traité en camarade et en artiste comme eux-mêmes... Mon fils est un excellent artiste, et je me réjouis de lui voir faire ce que j'aurais voulu faire moi-même. Naturellement, il est très intéressant d'imprimer de belles eaux-fortes, mais c'est encore plus intéressant de les graver soi-même... Pour savoir tout ce qu'on peut obtenir, l'artiste doit être imprimeur ou l'imprimeur artiste; voilà tout le secret qui a rendu mes épreuves célèbres... Du même cuivre il* (son fils Eugène) *pourrait tirer 20, 30 et 40 épreuves différentes. Déjà dans l'eau-forte en noir l'imprimeur pouvait par exemple changer un effet de plein jour en effet de lune... Il faudrait que l'artiste imprimât, mais comme ce n'est pas possible... il n'y a qu'une seule ressource c'est l'imprimeur artiste.* »

Cette notion est tout à fait exceptionnelle dans l'histoire de la gravure où, générale-ment, comme de nos jours, l'imprimeur a pour règle de ne rien ajouter à ce qui est gravé. L'évolution en ce domaine est due à des facteurs économiques (selon que la planche est destinée à l'édition ou aux simples expériences de l'artiste, il importe que le tirage soit égal ou non). Nous reverrons avec l'*eau-forte mobile* et les *monotypes*, combien la situation de l'estampe impressionniste est particulière en ce domaine et correspond à l'esthétique des peintres.

Charles JACQUE
70-71-72-73-74
Village au bord de l'eau, *eau-forte*, 1848 (G. 255, P. 201-202), 5 épreuves des 2ᵉ et 3ᵉ états : tirage pâle en noir; tirage pâle en bistre; tirage avec effet d'encrage;

tirage très encré (effet de nuit); tirage sec avec nouveaux travaux dans le ciel.
— B.N., Estampes, anc. coll. Beurdeley et Curtis.

75-76-77
Trois eaux-fortes : DESSOUS DE BOIS A NOISY, 1862 (G. 165, P. 266), 4e état sur
5; VACHES A L'ABREUVOIR, 1878 (G. suppl. 61, P. 341), 7e état sur 8; BOIS DE
BILLÈRE, Pau, 1890, 2e état (G.n.d., P. 372), épreuve sur chine signée. — B.N.,
Estampes, anc. coll. Curtis et Musée du Luxembourg.

Entre les aquafortistes sans succès et épars du romantisme et de Barbizon, et le renouveau
de l'eau-forte après 1855, existe un lien : la personnalité multiple de Charles Jacque, à qui
l'on attribue souvent l'une des responsabilités de ce renouveau. En fait Charles Jacque
n'est pas un artiste très profond, et Pissarro dit, dès son arrivée à Paris, avoir détesté son
goût facile et son iconographie factice. Il est vrai cependant qu'on trouve dans son œuvre
abondante (470 eaux-fortes) des pièces précieuses, dès 1843, où la lumière vient de la liberté
des touches (G. 100, P. 158-2), des effets de manière noire (*Trois moulins à Montmartre*,
1846, G. 118, P. 157), des pointes-sèches (*Cheval sous l'orage*, 1848, G. 249, P. 196-2, tiré
à 6 exemplaires), des manières noires lithographiques (*Chasse au cerf*, 1853, P. 532-2), des
clichés-verre, bref, un ensemble de recherches techniques très souvent comparables à
celles de Daubigny (*Vache sur une chaussée, Crépuscule*, 1850, G. 94, P. 241), parfois à
Millet (*Le Rémouleur*, 1850, G. 96, P. 243). Une telle constance dans la recherche de l'effet
par la gravure a certainement beaucoup servi les Impressionnistes, en adaptant aux
circonstances nouvelles des techniques que tous les artistes, entre 1830 et 1850, oubliaient.

82

A. Appian, eau-forte

84

Eau-forte et monotype

VII. A. APPIAN

Sans avoir vraiment influencé l'impressionnisme, Appian est un artiste fort représentatif des soucis les plus avancés de son temps en matière de paysage. Contemporain de Daubigny, dont il se rapproche souvent, il est amené par sa volonté de réalisme à résoudre des problèmes de luminosité changeante et à rendre des sensations visuelles (air, eau, feuillages) par l'eau-forte, au moment où ils se posent aux peintres de la région parisienne. Appian resta isolé, travaillant toujours dans la région lyonnaise. J. Bailly-Herzberg lui a, à juste titre, consacré une longue notice alimentée de sources très nouvelles, avec une carte de ses lieux de travail. On pourrait redire ce que disait Bourcard en 1912 *(La Cote des estampes)* : « *C'est encore un méconnu que cet artiste graveur absolument remarquable... en attendant, tachez de voir son œuvre et ses délicieux monotypes* ». C'est à cette partie de son œuvre que nous nous attacherons, comme la plus originale, la plus mal connue, la plus importante pour l'Impressionnisme, et entièrement contenue dans la collection Curtis, offerte à la Bibliothèque nationale.

78
L'ÉTANG NEUF PRÈS DE CREYS (Isère), *eau-forte*, 1864 (Jennings 10, Curtis-Prouté 11), épreuve tirée en monotype. — B.N., Estampes, anc. coll Beurdeley puis Curtis.

79
L'ÉTANG A LA MAISONNETTE, *monotype*, s.d. (Jennings, n.d., Curtis-Prouté 68). — B.N., Estampes, anc. coll. Burty puis Curtis.

80
PÊCHEUR EN CANOT AU BORD D'UNE RIVIÈRE, *eau-forte et monotype*, 1887 (Jennings n.d., Curtis-Prouté 66). — B.N., Estampes, anc. coll. Curtis.

Le catalogue Curtis a révélé 14 monotypes ou « manières de monotypes » (Jennings n'en connaissait que trois). Grâce à Curtis, ils sont tous conservés à la Bibliothèque nationale, qui possède, en outre de la collection Curtis, quelques pièces uniques (no 7 et 8 par exemple, Jennings n.d.). Nous pensons que certains sont des monotypes purs, n'ayant aucune trace de morsure sous l'encrage et dont les épreuves sont uniques. On peut attribuer aussi à Appian les deux monotypes purs donnés dans le catalogue Curtis-Prouté en appendice comme *Documents*. Il faut ajouter au no 64 de ce catalogue, l'épreuve en monotype de la *Marine* (Jennings no 59), où l'encre a été enlevée avec une allumette, selon un geste qui aurait plu à Degas.

81

Un Rocher dans les communaux de Rix (Ain), *eau-forte*, 1862, épreuve avant la lettre, 1er état (Jennings 4, Curtis-Prouté 16). — B.N., Estampes, anc. coll. Curtis.

82

Même planche, épreuve sur japon. — B.N., Estampes, anc. coll. Curtis.

83

Même planche, tirage de Cadart, pour la *Société des Aquafortistes*, 4e année, 1er janvier 1866 (B.-H. 205). — B.N., Estampes, épreuves du Dépôt légal, 1865.

84

Même planche, épreuve du 1er état tirée en manière de monotype. — B.N., Estampes, anc. coll. Beurdeley puis Curtis.

Le tirage en monotype du 1er état, alors que la planche a été publiée par Cadart en 1866, nous assure qu'Appian songeait déjà à cette technique avant cette date, donc bien avant les Impressionnistes. On voit fort bien comment, dès que l'artiste s'intéresse aux effets dus à l'encrage, qui apparaissent très bien dans l'épreuve sur japon, l'artiste est vite tenté de poursuivre ses recherches en peintre, en ajoutant à la gravure des formes simplement encrées. Si le monotype de Paul Huet est de 1868, ceux d'Appian seraient les premiers aussi caractérisés, puisque, sur certaines épreuves, il inscrivit lui-même la mention « *sans gravure ni morsure* ». Ceci est tout à fait possible, puisqu'on trouve dans l'œuvre d'Appian tous les intermédiaires entre la gravure pure et le monotype, qui vont de l'épreuve simplement trop encrée (Curtis-Prouté, n°s 4, 35, 38, 47, 50, d'après des épreuves du Cabinet des estampes, collection Curtis) au monotype pur, en passant par l'épreuve gravée recouverte d'encre au point qu'il est difficile sur certaines épreuves de voir s'il y a, ou non, une gravure sous l'encre.

VIII. LA SOCIÉTÉ DES AQUAFORTISTES

La Société des Aquafortistes est bien distincte du mouvement impressionniste. Manet y participa l'un des premiers, mais ses rapports avec elle sont mal connus. Degas passa certainement chez Cadart mais en amateur. Pissarro n'en parle pas. Et pourtant, comme l'a bien suggéré J. Bailly-Herzberg, qui inclut Pissarro dans son dictionnaire, on ne saurait dissocier ces deux phénomènes : le renouveau de l'eau-forte et l'Impressionnisme. Cadart publie tout : « *Cette société n'a d'autre code que l'individualisme...; aucun genre ne prévaut, aucune manière n'est recommandée* », écrit Gautier dans le premier album de la Société, en 1863. De fait, on y trouve quelques médiocrités et des facilités. Quant au dénominateur commun, l'eau-forte, il s'agit surtout de lutter contre la photographie et revenir aux estampes faites à la main. Or, cet esprit coïncide en partie avec celui de l'Impressionnisme. Parce que l'eau-forte est par nature un procédé qui prédispose à la dissolution du contour, à la luminosité des contrastes, parce que l'estampe originale (de peintre) répond à un besoin d'expression par la technique de reproduction qui permet des variations (états, épreuves, encrages, rehauts) inconnus autrement. En 1863, l'Impressionnisme « historique » n'existe pas encore, et s'il y eut un mouvement d'estampe impressionniste, il ne se manifesta qu'à la première exposition des Peintres-Graveurs en 1889. Mais il est désormais — puisqu'on a la chance de bien la connaître grâce à la thèse récente de J. Bailly-Herzberg — impossible de tenir l'entreprise de Cadart à l'écart de la genèse de la gravure impressionniste telle que la pratiquèrent Degas et Pissarro.

Dans notre choix, forcément un peu symbolique, nous avons fait un sort spécial à Jongkind, dont la gravure est entièrement liée à l'histoire de la Société, à Appian, à cause de ses monotypes, à Charles Jaque et à Delâtre, graveurs et imprimeurs, qui l'ont précédée; Daubigny, Corot et Huet qui y publièrent, sont traités à part, car ils appartiennent à une génération antérieure. Manet, Bracquemond, Fantin, Legros sont traités pour eux-mêmes. Il reste quelques petits maîtres qui, par leur recherche de lumière et de matière, ou par le réalisme de leur vision, peuvent aider à situer les autres. Nous aurions pu citer aussi Gabriel, Amand-Gautier, Villevieille ou Saint-Étienne, mais il serait dangereux de se laisser prendre à la lumière quasi-naturelle de l'eau-forte pour associer l'impressionnisme à n'importe quel sujet tapageusement éclairé ou trop légèrement mordu, encore faut-il s'écarter de tout pittoresque, de tout effet artificiel, où les aquafortistes de la Société sont encore très souvent confinés.

Adolphe HERVIER
85
Une Barque a marée basse, *eau-forte*, 1863 (Inv. 87, B.-H. 56), publiée dans la *Société des Aquafortistes*, 1er janvier 1863, 1re année. — B.N., Estampes, anc. coll. Curtis, seul état.

Hervier est le plus intéressant des « petits maîtres oubliés » (selon le titre de l'article que lui consacra Bouyer, dans la *Gazette des Beaux-Arts*, déjà en 1896!), et le plus proche de l'Impressionnisme. Comme Jongkind, élève d'Isabey, il sut rompre avec son romantisme. S'il sacrifie encore beaucoup trop au pittoresque pour être assimilé aux Impressionnistes, le mélange des procédés est réellement dans leur goût et leur but est le sien. Remarqué par Champfleury, par Burty, par Goncourt, par Gautier qui parle de son « mordant et sa touche brillante », il n'eut jamais de succès, et fut refusé vingt-trois fois au Salon. Son répertoire est restreint, mais il a trouvé dans l'aquatinte, le lavis et la roulette associés sur un cuivre très légèrement mordu, des moyens nouveaux propres à exprimer la qualité d'une atmosphère marine, le grain d'un sable humide, un ciel chargé de vapeur. Weitenkampf remarque que sa touche approche souvent de celle d'un Sisley ou d'un Pissarro, et constate que ses eaux-fortes sont le meilleur de son œuvre. Grâce à Curtis, qui sut reconnaître son originalité, le Cabinet des estampes possède un œuvre de Hervier incomparable. La précieuse notice que lui a consacrée J. Bailly-Herzberg devrait logiquement précéder une monographie qui manque encore sur cet artiste.
    Nous exposons d'une part sa planche la plus célèbre, publiée dans la *Société des Aquafortistes*, d'autre part, deux essais audacieux l'un par son abstraction, l'autre par le mélange de ses techniques.

86-87
Croquis de voyage, pl. 6 et pl. 7, *deux eaux-fortes*, 1843 (Inv. 6-7) 3e état. — B.N., Estampes, anc. coll. A. Febvre.

88
Mendiants, *eau-forte et travaux divers*, 1854 (Inv. n.d.). — B.N., Estampes, anc. coll. Curtis.

Ferdinand CHAIGNEAU
89-90-91
Scènes de troupeaux, *trois pointes-sèches* : épreuve sur chine avant lettre, épreuve dédicacée à Herbet, s.d. (v. 1860). — B.N., Estampes, anc. coll. Herbet.

Presqu'inconnues avant la notice de J. Bailly-Herzberg (t. II, p. 36-37), les eaux-fortes de Chaigneau ne semblent avoir été remarquées que par Herbet qui en fit collection, et demeurent non cataloguées (l'*Inventaire* et Beraldi ne donnent que des listes sommaires inutilisables). C'est pourquoi il est important de montrer ces belles épreuves inédites, qui s'ajoutent à ce qu'on connaît de lui chez Cadart, où il publia entre 1863 et 1881. Bien que tout à fait dans l'esprit de Barbizon, Chaigneau manie souvent la pointe en impressionniste, par petits coups aérés, qui donnent une sensation de clarté, à une époque (1863) où l'eau-forte était encore trop souvent noire et la pointe-sèche peu utilisée.

Xavier de DANANCHE
92-93

Paysage sous bois, *deux eaux-fortes*, 1873, épreuves avant la lettre (Inv. n.d., B.n.d.). — B.N., Estampes.

J. Bailly-Herzberg donne le peu que l'on sait de ce paysagiste, avec une liste très sommaire, mais la seule, de ses eaux-fortes (126 n^{os}) par son petit-fils, M. Puvis de Chavannes (t. 2, p. 55-59). Cadart en publia trois (1861 et 1864), mais nous avons choisi plutôt des pièces non décrites et pourtant fort belles, très montées en noir, parmi les inédits conservés au Cabinet des estampes. Parmi les nombreux paysagistes publiés par Cadart, c'est l'un de ceux dont les recherches luministes sont les plus acharnées, peu soucieux de conserver son motif et faisant passer avant la représentation intellectuelle des choses, le rendu brut de la matière et de l'ombre.

Antoine VOLLON
94-95

Une Ferme et Paysage avec deux personnages assis, deux planches sur une même feuille, *eaux-fortes*, publiées dans la *Société des Aquafortistes* en février 1867 (B.-H. 266). — B.N., Estampes, anc. coll. Lieure.

Disciple de Ribot, c'est son approche résolument réaliste des sujets qui le distingue des aquafortistes académiques de chez Cadart et l'apparente à l'esprit de Manet ou de Pissarro. A cela s'ajoute qu'il pratiqua l'eau-forte et la lithographie très tôt (1858).

Jules MICHELIN
96-97

La Mare, *deux eaux-fortes*, juin 1868 et septembre 1867 (Inv. n.d., B.n.d.). — B.N., Estampes, anc. coll. Lieure.

Là encore nous montrons, plutôt que le cahier de 16 planches qu'il déposa chez Cadart le 10 septembre 1863, une pièce inédite conservée au Cabinet des estampes. On se souvient, en la voyant, que Michelin fut parmi les praticiens qui aidèrent Corot à pratiquer l'eau-forte.

Théodule RIBOT
98

Le Mets brulé, *eau-forte*, 1862 (B.-H. 58) publiée dans la *Société des Aquafortistes*, 1er août 1863). — B.N., Estampes, épreuve du Dépôt légal.

C'est par son réalisme et en raison de son amitié avec Whistler, Legros, Fantin, Jongkind, que Ribot mérite de figurer auprès des Impressionnistes. Sa manière d'aquafortiste est d'ailleurs très proche de Legros et souvent de Manet. Il fut avec eux sollicité en 1862 pour faire une lithographie dans le projet de Cadart qui échoua. Comme les autres, la sienne *(La Lecture)* demeura inédite. Parmi ses 40 eaux-fortes, il en donna 7 à la *Société des Aquafortistes*. Le catalogue de son œuvre peint, préparé par André Watteau, fera redécouvrir l'étonnant coloriste qu'il fut, et suscitera peut-être une étude sur l'aquafortiste.

107. — J.-B. Jongkind, Soleil couchant, port d'Anvers.

IX. JONGKIND

La curieuse existence de Jongkind a été plusieurs fois racontée, mais non encore étudiée comme elle le mériterait. Ses eaux-fortes montrent, s'il le faut encore, qu'on peut découvrir en lui un des artistes les plus avancés de l'impressionnisme, un Monet en blanc et noir. Particulièrement, le *Soleil couchant sur le port d'Anvers* (1868), peut être considéré, d'un point de vue formel, comme un équivalent du célèbre tableau « *Impression* » (1874) de Claude Monet, c'est-à-dire que le motif est dissous dans la pure impression rétinienne, comme si celle-ci préexistait indépendamment de la connaissance intellectuelle qu'on a de l'objet, ce qui est vraiment le fondement de l'Impressionnisme. Mais son œuvre gravé est restreint — une vingtaine de planches — non par manque d'intérêt, mais par manque d'éditeur. Jongkind, malade de la persécution, alcoolique et bohême, pensait trouver un petit revenu en vendant des eaux-fortes. La critique fut souvent élogieuse. Ses débuts de peintre avaient d'ailleurs été prometteurs et encouragés. Les clients pourtant ne vinrent pas. Contrairement à la plupart des gravures impressionnistes, toutes celles de Jongkind furent éditées. La *Société* de Cadart en publia dix-sept. Dans l'actif de la faillite, il restait 115 épreuves. C'est donc dans le livre de Mme Bailly-Herzberg que l'on trouvera les renseignements les plus neufs sur les eaux-fortes de Jongkind, grâce aux lettres conservées au Musée du Louvre, que nous citerons largement. Jongkind aurait pu, avec plus d'application et de santé, connaître le succès. Outre Baudelaire et Burty, certains critiques moins novateurs le soutinrent. Jean Rousseau écrivait dans *Le Figaro* du 13 septembre 1857 : « *Jongkind traite vraiment l'art en artiste; nul souci des exigences bourgeoises... Au reste cette peinture en négligé ne plaît pas moins, tant elle est juste dans ses nuances si délicates* ». Il apprit avec Isabey, qui le protégea. En 1863, il rencontra Monet à Honfleur. C'est entre ces deux maîtres qu'il se situe, mais plus près du second et indépendant de tous. A propos du Salon des Refusés, en 1863, dans *L'Artiste*, Castagnary écrit : « *Chez lui, tout gît dans l'impression* ».

99
Vue de la ville de Maaslins, Hollande, *dessin préparatoire à l'encre*. — B.N., Estampes, anc. coll. Curtis.

100-101-102

Vue de la ville de Maaslins, Hollande, *eau-forte*, 1862, (L.D. 8) :
1er état. — B.N., Estampes, anc. coll. Curtis;
2e état. — B.I.A.A., coll. Doucet;
3e état. — B.N., Estampes, édition Cadart et Chevalier, épreuve du Dépôt légal.

C'est la première planche de Jongkind publiée par Cadart dans la *Société des Aquafortistes*, (2e livraison), le 1er octobre 1862 (B.-H. 9). La même année, Cadart avait édité son premier album, « *Cahier de six eaux-fortes, Vues de Hollande* », qui inaugure une longue collaboration entre l'artiste et l'éditeur. Par les lettres de Jongkind à Burty, qu'a publiées Mme Bailly-Herzberg (Nouvelles de l'estampe no 18, novembre-décembre 1974), on connaît l'histoire de cet ouvrage, auquel cette planche se rapporte certainement, même si elle fut publiée à part. Le 5 décembre 1861, Jongkind écrit à Burty qu'il a rapporté des études d'un voyage de deux mois en Belgique et en Hollande. L'album fut présenté aux critiques le 15 mars 1862. Baudelaire en fait l'éloge dans « L'eau-forte est à la mode » : « *singulières observations de peinture, croquis que sauront lire tous les amateurs habitués à déchiffrer l'âme d'un peintre dans ses plus rapides « gribouillages » (gribouillage est le terme dont se servait un peu légèrement le brave Diderot pour caractériser les eaux-fortes de Rembrandt)* ». Le 17 mars, Jongkind écrit à Burty « *qu'il est paru un cahier de six dessins Vues de Hollande avec titre gravé à l'eau-forte par Jongkind, 9 rue de Chevreuse et chez Delâtre imprimeur 265 rue St Jacques prix 20 francs le cahier, par ce moyen on a pu me prendre quelques cahiers ou chez Delâtre.* » Burty en fit un long compte-rendu dans la *Gazette des Beaux-Arts* du 23 mars, cela ne suffit pas à amener les clients et Jongkind se tourna alors vers l'éditeur Poulet-Malassis, à qui il écrivit, le 18 avril : « *Je vous dirai aussi que jusqu'à présent je ne suis pas encore rentré dans les frais de mes eaux-fortes malgré qu'il me sont bien arrivé des éloges — soit disant — l'Imprimeur a tirer 150 exemplaires et j'ai repris les planches. Si cette ouvrage pourrait convenir, je proposerai à vous a faire encore deux cahiers que des vues Hollandaise donc vous pourriez être le seul éditeur et quand je me trouverais payer sur mon travaille il ne serait jamais dans mes intérêts que vous en perdriez là-dessus* ». Poulet-Malassis refusa la proposition, mais lui acheta un tableau ; Jongkind lui répondit : « *Ayez la bonté de me faire tenir un numéro de cette journal donc on parlera de mes eaux-fortes* (c'est l'article de Baudelaire) *Je regret vraiment que mes propositions pour mes tableaux a vous comme amateur ne conviennent pas dans ce moment ainsi que mes eaux-fortes.* »

103-104-105

Vue du port du chemin de fer a Honfleur, *dessin décalqué à l'envers au crayon; eau-forte*, 1866 (L.D. 13), état avant le 1er état décrit par Delteil et 1er état avant lettre. — B.N., Estampes, anc. coll. Curtis.

Publiée dans la *Société des Aquafortistes* en février 1867 (B. H. 267), c'est la dernière des cinq planches qui y parurent en octobre 62, janvier 64, janvier 65, janvier 66 et février 67. Là encore les lettres à Burty racontent l'histoire de ces publications, le 5 janvier 1865 : « *J'ai fait l'année passé à l'eaux-fortes pour les aquafortistes l'Entrée du port d'Honfleur et c'est année le sorti; J'attends des épreuves et je serai fort heureux de vous offrir et que vouliez bien accepter de chaqun un de ces dessins.* » Le 16 décembre 1865 : « *Je viens de faire l'eaux-fortes pour les aquafortistes, je vous offre l'épreuve. J'ai fait d'abord pour la Société des aquafortistes 1. patineur hollandais, 2. Entrée du port de Honfleur, 3. sorti du port de Honfleur et aujourd'hui le 4e la jetée en bois dans le port de Honfleur donc je vous offre l'épreuve.* » Le 15 avril 1867 : « *Comme je vous ai promis, je vous offre avec celle-ci le cinquième dessin à l'eaux-fortes que j'ai fait pour la Société des aquafortistes représentant port au chemin de fer à Honfleur.* »

99   Dessin à l'encre

Jongkind 1862

100   Eau-forte

106-107

Soleil couchant, port d'Anvers, *eau-forte*, 1868 (L.D. 15), 1er état avant lettre.
— B.N., Estampes, anc. coll. Burty, Sir Edmond Drake et Paul Cosson;
2e état. — B.N., Estampes, anc. coll. Curtis.

En regardant cette planche, parue chez Cadart et Luce, dans *L'Illustration nouvelle* (1re année, 1868, no 14), on comprend mieux, écrit J. Bailly-Herzberg, ce que Monet doit à Jongkind. La critique ne s'y trompa pas, qui vit dans la nouveauté de cette eau-forte une expression nouvelle plus instinctive et plus directe. « *Ses eaux-fortes ont toutes les qualités de sa peinture, une perspective savante, un ton fin rompu par quelques noirs habilement posés* », écrit Hamerton (*Etchings and etchers*, livre paru la même année, 1868, p. 224); « *ce que d'adroits caricaturistes font des hommes et des femmes, Jongkind le fait pour le paysage et les maisons, c'est-à-dire qu'il prend ce qui est utile à rendre l'expression et laisse le reste. Chaque trait est plein de caractère à cause de la singulière faculté de sélection que l'artiste possède.* » C'est là un jugement perspicace, fondé sur ce qui frappa le plus les critiques : la concision expressive du dessin.

108-109-110

Canal de Hollande près de Rotterdam l'hiver, *eau-forte*, 1875 (L.D. 19),
1er état. — B.N., Estampes, anc. coll. Paul Cosson;
2e état avant lettre. — B.I.A.A., coll. Doucet;
3e état. — B.N., Estampes, anc. coll. Paul Cosson.

Publiée dans *l'Illustration nouvelle*, 7e année, 1875, no 293, après la mort de Cadart, c'est une des dernières gravures — ou, comme il disait, « dessins » — de Jongkind.
        Son style s'est encore épuré. On comparera cette eau-forte à l'une de ses premières, la *Vue de Maaslins*, dont un critique disait déjà : « *Encore un peu et il n'y aura plus que du papier blanc dans la Vue de la ville de Maaslins de M. Jongkind. Mais les quelques traits qui s'y trouvent tracés à regret dénotent un coloriste de race* ».
        Jongkind ne désespérait toujours pas de publier un nouveau cahier de vues de Hollande, comme il l'avait expliqué à Burty le 27 avril 1871 : « *Quand aux eaux-fortes je n'ai plus de belles épreuves. Cette travaille me revient encore cher pour avoir payé l'Imprimeur sans cela j'aurai bien voulu faire une suite de deux cahiers chaqu'un de six dessins de vues de Hollande autant que je suis née Hollandais et que j'ai fait des dessins et études nombreuse paysagiste et pitoresque.* »

X. WHISTLER

Il existe plusieurs aspects contradictoires dans l'œuvre gravé de Whistler, qui tous ont des rapports certains avec l'impressionnisme. Bien qu'en dehors du mouvement, il fut, souvent, plus impressionniste que les Impressionnistes eux-mêmes. En revanche, jamais il ne chercha à se dégager de l'esthétisme, qui le fascinait, et, en cela, il s'oppose à eux. Manet, Degas, Pissarro voyaient en l'esthète un ennemi, un barrage entre la réalité et sa représentation sincère. Ainsi l'œuvre de Whistler suscite-t-il deux réactions contraires : l'une vient de l'excentrique qui, dans sa jeunesse, veut vivre comme les héros de Murger, l'autre, de l'artiste très doué qui sent, comme aucun autre, l'avant-garde de son temps. L'opinion des Impressionnistes sur lui, quoique très élogieuse, n'était pas sans partage, au contraire de ce qui se passa pour Mary Cassatt. « *Whistler fait surtout de la pointe-sèche, et quelquefois de l'eau-forte ordinaire, mais la souplesse que tu constates, le moelleux, le flou, qui te charme, est une espèce d'estompage fait par l'imprimeur qui n'est autre que Whistler lui-même ; aucun imprimeur de profession ne pourrait le remplacer, car c'est tout un art, un complément de ce qui a été fait au trait. Ce que nous autres nous voulions faire, c'était la souplesse avant l'impression. J'ai vu deux estampes exposées à Paris, il y a un ou deux ans, c'est fin, un peu maigre, grêle. Il aurait fallu voir toute une collection pour en juger car, nul doute, il doit y avoir des exemplaires hors ligne* ». Dans cette lettre à Lucien, Pissarro est donc amené tout naturellement à parler de l'esthétisme, son jugement est alors catégorique : « *C'est une espèce de romantisme doublé de rouerie* » (28 février 1883). Ce double jugement est aussi sensible dans la dédicace du « *Gentle art of making enemies* » que Whistler offrit à Degas avec ces mots : « *Charmant ennemi, meilleur ami* ».

Ainsi les planches les plus franchement impressionnistes de Whistler (emploi de la pointe-sèche, masses de lumières, compositions décentrées, effets d'encrages, sujets réalistes) le sont presque trop : elles n'échappent pas à la recherche affectée du dessin parfait, de la composition savante, de la lumière brillante, en un mot de « l'effet ». Mais à côté de ces planches super-impressionnistes que sont le *French set* et le 2e *Venice set*, avec ses effets d'encrage systématiques, existe aussi la nostalgie de Méryon (*Thames set, Vue de l'Ile de la Cité*, etc.), du dessin impeccable, de la composition presque théâtrale. A la fin, les *Nocturnes*, malgré leur brillante exécution, sentent l'abus d'artifices. Pour être impressionniste,

il a manqué à Whistler l'effort de Degas pour « gâter » sa planche, pour supprimer toute affectation, tout théâtre, pour donner l'impression d'une sensation brute.

Sans présenter un panorama aussi complet que la collection Lucas à Baltimore, le Cabinet des estampes de la Bibliothèque nationale contient l'essentiel, et souvent en épreuves d'état, de l'œuvre de Whistler grâce au don Curtis et à celui de Beurdeley, qui avait été l'avocat de l'artiste. Elle a été complétée par de nombreuses acquisitions.

111
LA CUISINE, *eau-forte*, v. 1858, (K. 24, 3e état; W. 19, 2e). — B.N., Estampes, anc. coll. Curtis.

Impressionniste à sa manière, indépendante, Whistler le fut d'emblée, comme le prouve cette planche, la dernière de la suite dite *French set*, publiée très tôt par rapport aux pointes-sèches. A son arrivée en France, en 1855, Whistler connaissait déjà le métier de graveur, et les quelques planches isolées qu'il grava alors manifestent bien son goût pour une gravure lumineuse, où les tailles laissent passer l'air (où l'on laisse voir « le linge » comme disait Mallarmé), avec des sujets humbles, et un dessin qui n'enferme pas les objets de son contour. C'est lors d'un voyage en Alsace, en novembre 1858, à la date même où, à Rome, Degas faisait ses premiers essais d'aquafortiste, que fut gravée cette planche. Cette année-là, il avait rencontré Fantin-Latour, Legros et Bracquemond, fréquenté l'atelier de Lecoq de Boisbaudran. Il publia sa première série de 12 gravures dite *French set*, dédiée à Seymour Haden, imprimée par Delâtre (qui initia Whistler au tirage), et vendue 50 F l'album. Pennell, qui l'a vu travailler, affirme, et c'est important, quant à « l'impressionnisme » de Whistler, qu'il gravait directement le motif, d'après nature, sur le cuivre, mais les avis se partagent quant à savoir s'il les tirait déjà lui-même. Ce sont ces gravures qui le firent connaître : deux d'entre elles furent reçues au Salon de 1859, quand ses peintures y étaient refusées.

112-113
LA FORGE, *pointe-sèche*, 1861 (K. 68, W. 63), 3e état et 4e état. — B.N., Estampes, anc. coll. Curtis.

C'est après une période de nombreux voyages à Londres (1859-60) où il avait exposé des eaux-fortes « d'après nature » à la Royal Academy qu'il exécuta cette pointe-sèche. Il voyageait alors en Bretagne, et le sujet a été croqué à Perros-Guirec. A cette époque, Whistler a déjà expérimenté plusieurs manières. En Angleterre, sa série des onze planches sur la Tamise (1859) doit cependant plus à Méryon qu'à l'Impressionnisme naissant. *La Forge* est un compromis entre un sujet encore romantique, une composition classique, une écriture résolument moderne. Whistler alors imprime lui-même ses gravures, ce qui est un point important dans l'esthétique du temps, et laisse présager les théories rigoureuses de « l'estampe d'artiste ». Après un deuxième *Thames set*, il revient en France (été 1861) et expose ses eaux-fortes (1862) chez Martinet, où Baudelaire les remarque (« *L'eau-forte est à la mode.* ») *La Forge* fut ensuite exposée en 1863 à la Royal Academy à Londres, alors que sa toile *Jeune fille en blanc*, était, à Paris, le clou du Salon des Refusés. Il partit ensuite pour Amsterdam avec Legros, semblant éviter de s'agréger à quelque groupe que ce fût, et ne s'engageant dans la bataille du modernisme qu'avec sa seule fantaisie, qui était grande.

117

114

NOCTURNE, *lithographie*, 1878 (W. 5). — B.N., Estampes, anc. coll. A. Barrion et P. Cosson.

115

LA TOILETTE, *lithographie*, 1878 (W. 6). — B.N., Estampes, anc. coll. Curtis.

116

EARLY MORNING, *lithographie*, 1878 (W. 7). — B.N., Estampes, anc. coll. Curtis.

Pennell a raconté en détails les circonstances dans lesquelles Whistler s'adonna à la lithographie, où son goût pour les formes vaporeuses devait évidemment trouver un terrain d'élection :

« *En 1878, Whistler s'essaya pour la première fois dans la lithographie. Il s'y était intéressé sur les conseils de M. Thomas Way, à qui l'on doit, plus qu'à tout autre, la renaissance de cet art en Angleterre. Way contacte les artistes, prépare les pierres, explique les procédés. Way avait imprimé la brochure sur la Salle des Paons. Whistler fit des essais qui l'enthousiasmèrent. Dans ses cinq premières lithos, il réussit des essais qui n'avaient jamais été obtenus auparavant. Il fit en tout six planches cette année-là. Il en avait exécuté le dessin sur la pierre bien qu'il dût prendre par la suite l'habitude de le faire sur du papier lithographique. Il fit le projet de publier ces premières lithographies sous le titre « Notes d'art », mais cette publication n'aurait trouvé aucun débouché, et l'idée dut être abandonnée. La Toilette, et The Broad bridge furent tirées pour une revue dirigée par M. Watts-Dunton, Piccadilly, mais à peine le numéro qui les contenait avait-il été imprimé que la revue cessa de paraître.* » (Pennell, *Whistler*, p. 157-158.)

117

EXTRAITS DU PREMIER « VENICE SET », *douze eaux-fortes*, 1880 : NOCTURNE (K. 184, W. 150);

118-119

TWO DOORWAYS (K. 193, W. 158), 3ᵉ état et 6ᵉ état. — B.N., Estampes, anc. coll. Curtis et Beurdeley.

Pour Théodore Duret, « *il y avait si peu de ressemblance entre les eaux-fortes de Londres et celles de Venise, qu'on eût fort bien pu n'y pas reconnaître la main du même artiste* ». Il en est une cependant, non négligeable : le goût du motif réaliste, inédit et pris sur le vif. Il était plus facile à trouver à Londres qu'à Venise. Whistler l'y chercha plusieurs mois, pour ne pas tomber, comme ses nombreux confrères, dans le cliché. Ceci choqua, mais il considérait à juste titre, que c'était là le premier travail qu'il avait à faire. La facture aussi, par son originalité peu coutumière alors, en matière d'estampes, surtout vénitiennes. Elle consistait surtout à jouer sur les encres. Whistler avait donc, à Venise, sa propre presse, indispensable pour cet art « d'impression ». Pennell nous laisse encore de précieux souvenirs à ce propos :

« *Whistler avait coutume de s'exprimer très vigoureusement à l'égard de l'imprimeur avec son pot de mélasse et ses couches d'encre successives. Mais il n'est pas un seul grand artiste qui ait jamais porté plus loin que lui l'art d'imprimer les eaux-fortes, ou se soit servi de l'encre d'imprimerie aussi librement qu'il l'a fait pour certaines de ses estampes. Sans le lavis d'encre qui lui a servi à les mettre au point, ces gravures ne seraient que l'ombre de ce qu'elles sont; elles ne présenteraient aucun intérêt... Sur chacune de ses eaux-fortes, il se livra à de nombreuses expériences qui lui permettaient d'obtenir des résultats très différents. Sur certaines épreuves, il allait jusqu'à recouvrir d'une couche d'encre les lignes les plus faibles*

119

121

d'un dessin médiocre, comme dans Nocturne, les Palais, *une des planches les plus pauvres, bien que l'estampe soit très appréciée des collectionneurs* » (p. 212).

Avec cette suite, l'impression par l'artiste lui-même devient un principe, et aussi un système dont on lui a reproché la facilité. Encore faut-il constater que c'est avec ce même système que le vicomte Lepic n'a produit, sous le nom d'*eaux-fortes mobiles*, que des médiocrités.

120

Deuxième « Venice set », *vingt-six eaux-fortes*, 1886 : Nocturne palaces (K. 202, W. 168),

121

Long lagoon, (K. 203, W. 169), 1er état. — B.N., Estampes, anc. coll. Curtis.

Le public ne savait, devant les vues de Venise rapportées par Whistler, s'il devait condamner avec Ruskin un art aussi insaisissable où le sujet se plaisait à disparaître derrière l'effet purement visuel, ou s'enthousiasmer, avec quelques amateurs, de la nouveauté technique de ces épreuves recherchées, où l'artiste-imprimeur jouait sur ces voiles d'encre pour plus de suggestion. La polémique fut à son comble lorsque Whistler exposa ses eaux-fortes en février 1863 à la Fine Arts Society, avec un catalogue qui reproduisait, pour chaque planche, les quolibets des critiques, et, en préface, un manifeste insolent qui s'en prenait surtout à la manie des collectionneurs sottement friands de « remarques » et de « marges ». Whistler rogna ses eaux-fortes au ras de l'image, ce qui n'empêcha pas son éditeur, Dowdeswell de publier ce second album sur Venise en 1886 où l'impressionnisme certain qui avait présidé à la recherche de motifs inconnus et de notations fugitives, est dépassé par un goût de l'élégance impondérable, s'orientant nettement vers une esthétique décorative et même symboliste. C'est à cette date que commença sa grande amitié pour Mallarmé, que lui avait présenté Théodore Duret. La correspondance avec Mallarmé nous révèle un détail technique important : Whistler refusait catégoriquement de faire aciérer ses planches, à cause de la morsure infime qu'il leur donnait. Mallarmé prévient son éditeur qu'au cas où Whistler illustrerait ses œuvres, il refuserait sans doute de laisser tirer ses eaux-fortes à 1000. C'est cette fine morsure qui confère aux *Vues de Venise* leur impondérabilité.

137. — E. Manet, les Courses, lithographie.

XI. MANET

L'œuvre gravé de Manet se situe essentiellement dans les années 1860, c'est-à-dire avant la manifestation publique de l'Impressionisme ou à ses tout débuts. C'est pourquoi la gravure demeure pour lui revêtue de bien des aspects traditionnels, en particulier dans sa fonction de reproduction — qui est devenue la transposition — d'un tableau ou d'un dessin. Manet ne s'est pas considéré lui-même comme un graveur. A la fin de sa carrière, après avoir fait une centaine d'eaux-fortes, il écrit à Guérard : « *Décidément l'eau-forte n'est pas mon affaire* », et cela reste vrai malgré les réussites incontestables et les grandes nouveautés de son œuvre. Il a gravé à l'instigation de plusieurs amis; ses rapports avec Cadart sont sans doute essentiels, mais mal connus; leurs débuts, en tout cas, coïncident. Il fut l'ami des deux meilleurs techniciens de l'époque : Bracquemond et Guérard. Ses gravures leurs doivent beaucoup. On retrouve un peu de la rudesse technique de ces deux graveurs acharnés dans les planches de Manet. Ce dernier, sans doute, il le laisse entendre lui-même, n'aurait pas continué son œuvre d'aquafortiste sans leur aide. Enfin, il y eut Baudelaire, le seul, parmi les critiques de 1860 à avoir été sensible à l'eau-forte nouvelle, dont l'amitié fut en ce sens sans doute d'une grande importance.

Manet ne considère donc pas, contrairement aux Impressionnistes, la gravure comme un domaine à conquérir, où tout est à réinventer. Pourquoi alors son œuvre est-elle si puissante et si originale? C'est que, tout en considérant encore la gravure comme une reproduction, il n'en a pas profité pour « faire passer » ses audaces de peintures, mais au contraire, pour surenchérir sur elles. C'est malgré tout le goût d'expériences nouvelles qui pousse Manet à graver, et en particulier celle du noir et blanc, mais aussi celle des deux dimensions. Manet rompt avec la perspective classique et cherche à projeter ses sujets en avant pour rendre la sensation du spectateur plus immédiate. Le relief, le modelé, le volume, la perspective, s'abolissent dans les plans obscurs ou lumineux, le mouvement de la ligne. Ce n'est certes plus une sensation tactile ou intellectuelle qu'il transcrit et en cela il est bien le premier des Impressionnistes, même dans ses estampes. En 1911, le graveur Jeanniot écrit (lettre du 19 octobre 1911 conservée à la Bibliothèque de l'Institut d'art) : « *Les eaux-fortes de Manet auxquelles on reprochait jadis d'être faites par-dessous la jambe (!) subsisteront parce qu'elles sont toujours bien composées et*

51

d'un dessin inimitable. L'eau-forte ne blague pas. » Si Manet fut aquafortiste, ce fut sans doute, effectivement, pour cela.

On est admirablement outillé pour connaître les eaux-fortes de Manet, puisqu'il existe plusieurs catalogues de son œuvre gravé, un de ses dessins, et d'excellents catalogues d'expositions récentes. L'œuvre de la Bibliothèque nationale, d'autre part, est extraordinairement riche en épreuves d'état, et même en cuivres et en dessins, grâce au don de son biographe Moreau-Nélaton, en 1927. Le Cabinet des estampes possède en particulier un exemplaire encore intact de l'album de huit eaux-fortes paru chez Cadart en 1862. Manet cherchait encore à utiliser la gravure pour divulguer son œuvre peint, publiant chez Cadart, exposant ses estampes dès qu'il le pouvait. Mais comme, à cause de leur audace, elles n'eurent pas la faveur du public, la plupart ensuite demeurèrent inédites et sont donc extrêmement rares. C'est le début de l'estampe « expérimentale » qui détermina ses successeurs à considérer l'estampe comme une œuvre d'atelier et non plus comme un produit commercial.

122-123

Les Petits cavaliers, *eau-forte*, 1860 (G. 8, H. 5), 1er et 3e états sur 4. — B.N., Estampes, anc. coll. Moreau-Nélaton.

Manet est au début de sa carrière d'aquafortiste. En 1860, tenté par le renouveau de l'eau-forte et l'équipe de chez Cadart, avec l'assistance technique de Bracquemond, il grave, en deux ans, une quarantaine de planches qui forment presque la moitié de son œuvre, et qu'il avait sans doute l'intention de publier en album pour divulguer ses peintures. Neuf seulement, dont celle-ci, seront recueillies en album et deux publiées dans la *Société des Aquafortistes*. C'est donc, avec *Les Voyageurs*, dont l'épreuve unique est conservée à la New York Public Library, sa première grande planche. Elle reproduit une peinture exécutée en 1855 (selon Tabarant), au Louvre, d'après un tableau qu'on attribuait alors à Velasquez. Cette eau-forte figura au Salon des Refusés de 1863 et à l'exposition personnelle de Manet en 1867, preuve qu'il y attachait une certaine importance. Les critiques et historiens s'y attardent volontiers, y voyant même un prototype du grand tableau *La Musique aux Tuileries* (1862) (Rosenthal, p. 142; Sandblad, p. 32; Issacson, p. 24; Hanson, p. 39-41). Pour Miss Harris, « *c'est certainement la plus accomplie des premières eaux-fortes de Manet, à la fois par sa complexité et le contrôle avec laquelle cette complexité est maîtrisée* ».

Manet, en effet, a savamment combiné ses masses d'ombre et de lumière, atteignant ici d'emblée à un impressionnisme formel incontestable. Rosenthal écrit que « *les figures sont si baignées par la lumière et l'air que quelques-unes semblent s'y dissoudre* ».

124

Le Garçon au chien, *eau-forte*, 1861 (G. 17, H. 11), 2e état. — B.N., Estampes, anc. coll. Moreau-Nélaton.

Pour Guérin c'est le premier état, mais Miss Harris a découvert un nouveau premier état à la New York Public Library fort intéressant, car il montre mieux le champ d'aquatinte. Cette œuvre présente en outre l'intérêt d'être la seule eau-forte de Manet vraiment

125   1er état   127   3e état

originale, c'est-à-dire qu'elle n'a pas été redessinée d'après une peinture ou un dessin à des fins de reproduction, mais que le dessin préparatoire qui existe (De L. 157) semble au contraire, pour une fois, avoir été subordonné à la gravure. C'est peut-être pourquoi l'écriture en est particulièrement bien adaptée à la fois au sujet et à la technique. Les hachures mouvementées qui représentent le chien, le fond strié de façon dynamique, l'alliance discrète de l'aquatinte parviennent à camper une scène très vivante. La manière claire qu'il emploie, aux coups de pointe aérés, il l'a apprise des Vénitiens, qu'il a regardés autant que Goya ; Duret nous apprend d'ailleurs qu'il aimait particulièrement les eaux-fortes de Canaletto, dont on retrouve ici un peu la lumière.

125-126-127
Le Buveur d'absinthe, *eau-forte*, 1862 (G. 9, H. 16), 1er, 2e et 3e états. — B.N., Estampes, anc. coll. Moreau-Nélaton.

Antonin Proust raconte (p. 32-33) comment le jeune Manet, boudant l'atelier Couture où il était inscrit, a réalisé, en manière de défi à son maître, le tableau dont est issue cette eau-forte, et que Couture aurait dit : « *Il n'y a qu'un buveur d'absinthe, c'est le peintre qui a produit cette insanité.* » Présentée au Salon de 1859, l'œuvre fut refusée, mais Manet fut heureux de savoir que Delacroix l'avait soutenu (aujourd'hui à la Ny Carlsberg Glyptotek de Copenhague). L'œuvre était doublement choquante, par sa facture, sans modelés ni dégradés, et par son sujet. En choisissant comme modèle un véritable alcoolique, Manet allait dans la voie réaliste plus loin que ne pouvait le supporter un académicien gardien du « bon goût ». Le thème académique des « mendiants philosophes », ici évoqué, était traité d'ordinaire en atelier, à la manière d'une allégorie, mais Manet semble renouer ici avec l'audace des caravagesques.

    L'eau-forte, qui devait populariser le tableau, et qui fut publiée dans le *Cahier de huit eaux-fortes*, chez Cadart, en 1862, est aussi étonnante, par la transformation totale d'état en état. Or le 3e état, où le noir joue sur le noir, où la brutalité de la morsure et du trait projette le spectateur dans le monde du modèle, n'était pas prémédité puisque la planche fut publiée en 1862 dans son 2e état. Le 3e ne peut donc être que postérieur à octobre 1862. On a évidemment commenté la parenté de ce tableau avec l'esprit baudelairien, à la suite d'A. Proust qui termine son anecdote en citant Baudelaire : « *Mais est-ce que je n'ai pas été moi-même dans le « Buveur d'absinthe ? »*

Portraits de Baudelaire, *eaux-fortes*. — B.N., Estampes, anc. coll. Moreau-Nélaton.

128
Baudelaire de profil, première planche, 1861-2 (G. 30, H. 21);

129-130
Deuxième planche, 1869 (G. 31, H. 59), publiée dans le livre d'Asselineau, *Charles Baudelaire, sa vie, son œuvre*, Paris, Lemerre, 1869, 1er et 2e états.

131
Baudelaire de trois-quarts, première planche, 1861 ou 1865 (G. 36, H. 46), 1er état, anc. coll. Marcel Guérin;

132
2e état, seule épreuve connue, anc. coll. Barrion et Moreau-Nélaton. (Il existe bien deux états différents, comme le dit Guérin, et non un seul comme l'écrit Miss Harris;

131   Première planche, 1er état

132   Première planche, 2e état

133   Deuxième planche

135   Troisième planche

le premier est connu en deux épreuves, celle-ci et celle de la New York Public Library, l'autre, en un seul exemplaire, présenté ici.)

133
DEUXIÈME PLANCHE, 1869 (G. 37, H. 60), Baudelaire avec une bordure de deuil, refusée par l'éditeur du livre d'Asselineau.

134-135
TROISIÈME PLANCHE, 1869 (G. 38, H. 61), 3e état, avec la banderolle refusée par l'éditeur;
4e état définitif, publié dans le livre d'Asselineau.

Il existe cinq portraits de Baudelaire gravés par Manet, dix si l'on compte les états de chaque planche. Nous en exposons huit. Leur histoire est assez embrouillée. Baudelaire et Manet furent amis intimes entre 1859 et 1864, et l'on peut croire les critiques qui accordent à cette amitié une particulière importance en ce qui concerne les gravures de Manet, puisque Baudelaire fut le premier à soutenir le renouveau de l'eau-forte; ou bien Antonin Proust, autre intime de Manet, pour qui c'est Manet qui influença Baudelaire, ce qui est tout aussi vraisemblable. En tout cas ils collaborèrent, non seulement pour *Lola de Valence* dont le texte est de Baudelaire, mais pour la première eau-forte de Manet, le *Portrait d'Edgar Poe*, qui était destiné à illustrer « l'ensemble des articles critiques sur Poe » que Baudelaire voulait publier, et pour lesquels il se chargeait de fournir les éléments pour un portrait « *d'un romantique forcené* ». Cette amitié fut donc décisive de la carrière d'aquafortiste de Manet.
    A l'occasion de l'achat par la Bibliothèque nationale d'une des deux seules épreuves connues du portrait de Baudelaire (G. 36, H. 46), celle de la collection Guérin (l'autre est à la New York Public Library), J. Adhémar a retracé l'histoire de ces portraits (*Le Portrait de Baudelaire gravé par Manet*, dans *La Revue des Arts*, no 4, 1952, p. 240). Constatant que Manet avait été contacté dès 1859 pour faire le portrait de Baudelaire destiné à illustrer la 2e édition des *Fleurs du Mal* chez Poulet-Malassis, il pense que Baudelaire présenta effectivement les deux premières planches à l'éditeur; l'une où on le voit presque de face, l'autre presque en profil perdu issu d'un croquis que Manet utilisa aussi pour sa *Musique aux Tuileries* (1862). A ces deux planches, Poulet-Malassis aurait préféré, contre l'avis de Baudelaire, celle de Bracquemond qui illustra la réédition en 1861.
Les deux planches seraient donc contemporaines et antérieures à 1861.
    Après la mort de Baudelaire (1876), Asselineau voulut publier un ouvrage sur Baudelaire, qui parut en 1869, illustré de cinq portraits : trois avaient été gravés par Bracquemond d'après des dessins de Deroy, Courbet et Baudelaire lui-même (qui avait laissé des indications pour cela), les deux autres sont de nouvelles versions des deux portraits antérieurs. Nous savons d'ailleurs par une lettre, que Manet proposa lui-même à Asselineau ces deux portraits anciens qu'il avait « en réserve ». Sans doute pour des raisons techniques, Manet regrava deux nouvelles planches : le portrait de trois quarts, ombré, est légèrement différent (la joue plus claire), celui de profil aussi, plus linéaire, très japonisant. L'éditeur accepta ce dernier, mais fit refaire l'autre encore deux fois, pour des raisons de dimensions. On possède donc de ce portrait de trois quarts la planche initiale, et trois planches de 1869 avec des états différents, dont un avec un dessin macabre dédicacé à Alphonse Hirsch (anc. coll. Degas et Marcel Guérin), un autre avec une banderolle gravée qui fut coupée ensuite.
    Sur les portraits tels qu'ils furent publiés en 1869 figure la lettre : *Peint et gravé par Manet, 1862* pour celui de profil; *Peint et gravé par Manet, 1865* pour celui de trois quarts, ce qui semble ruiner l'hypothèse de J. Adhémar. Cependant, d'une part, cette indication est suspecte : la planche de 1869 a été regravée, et le sujet ne semble jamais avoir été peint, d'autre part un argument de poids peut lui ôter encore de sa crédibilité : le portrait a été exécuté non d'après nature, mais d'après une photographie de Nadar (Sandblad, qui croit que la photo est de Carjat, ne peut faire état de cet argument); or c'est Nadar

qui, en 1859, recommanda Manet à Baudelaire pour graver son portrait. Ce portrait gravé semble donc bien remonter aux origines de l'amitié des deux artistes, dont il aurait même été l'occasion.

136

Le Ballon, *lithographie*, 1862 (G. 68, H. 23). — B.N., Estampes, anc. coll. Moreau-Nélaton.

L'une des lithographies commandées par Cadart pour tenter de lancer cette technique comme « œuvre d'art », à la suite de la préface enthousiaste écrite par Philippe Burty pour la vente Parguez (1861) de lithographies anciennes. Il ne s'agissait pas d'une redécouverte comme pour le renouveau de l'eau-forte mais bien d'une découverte, la lithographie ayant toujours été considérée jusqu'alors comme un procédé de reproduction et une technique mineure (Couture aurait dit à Manet, selon A. Proust, « *Vous ne serez jamais que le Daumier de votre temps !* » car il avait fait se rhabiller le modèle nu de l'atelier). Ce fut aussi une redécouverte pour Manet, qui connaissait cependant la technique par une caricature de circonstance exécutée deux ans avant. Travaillant alors à son tableau de la « *Musique aux Tuileries* », il essaya aussi en lithographie un mouvement de foule, mais rendu avec tant de spontanéité que l'écriture fut incomprise de l'imprimeur Lemercier, qui, dirigeant le plus grand atelier de lithographie de Paris, n'avait jamais vu cela. La pierre ne tira que quelques épreuves d'essai. Le dessin en effet, par la vertu du mouvement (« *Quand les gens remuent, je ne peux faire qu'ils soient figés sur la toile* », disait Manet), ne concorde plus avec des objets stables, la surcharge des lignes évoque la foule. Effectivement, dans le rendu de ce mouvement — le garçon qui grimpe au mât, à droite, par exemple — on retrouve Daumier, mais c'est en 1862, une œuvre totalement d'avant-garde.

137

Les Courses, *lithographie*, v. 1864 (G. 72, H. 41). — B.N., Estampes, anc. coll. Moreau-Nélaton.

Nous ne possédons que fort peu de renseignements sur la plus étonnante des lithographies de Manet : elle n'est ni signée, ni datée, et il ne semble pas qu'elle ait été tirée avant l'édition posthume de 1884. Nous savons seulement qu'elle s'inscrit dans un ensemble de peintures du même sujet, de 1864. La plus proche est, à l'envers, les *Courses à Longchamp* de l'Art Institute de Chicago (pour la reconstitution de cet ensemble cf. J. Harris, « *Manet's Racetrack paintings* » dans *Art Bulletin* XLVIII (1966), p. 81). Son écriture est tellement audacieuse que Rosenthal (p. 148) la date de 1874-1877, dix ans plus tard (ce qui n'est pas invraisemblable). La date et la raison de cette lithographie, alors que Manet n'a que rarement abordé cette technique, sinon pour des œuvres de circonstance, ou par l'échec du *Ballon*, seraient précieuses, car l'audace de la représentation est à son comble dans le rendu abstrait du public au premier plan, qui explique suffisamment que cette œuvre, comme le *Ballon*, n'ait pas pu être imprimée en 1865. C'est une des plus nouvelles expériences de représentation du mouvement, où l'objet qui le supporte disparaît, pour ne laisser que la vision du mouvement en lui-même, rendu par une sorte d'« empathie » du crayon qui se fait mouvementé. Voilà un excellent exemple d'impressionnisme, dans la volonté de représenter l'instantané tel qu'il est vu par l'œil et non immobilisé par l'idée des objets qui le composent. Les rapports du dessin et de la photographie — à la fois attirance et conflit — sont contenus tout entiers ici, dans le dépassement de celle-ci par celui-là.

139

Dessin au lavis

140

Eau-forte

138

PORTRAIT DE BRACQUEMOND, *eau-forte à la plume*, 1864 (G. 42, H. 42). — B.N., Estampes, anc. coll. Moreau-Nélaton.

Focillon caractérise l'impressionnisme « en noir et blanc » de Manet par « *le style elliptique d'une pointe ou d'un crayon qui semblaient n'avoir tracé sur la pierre ou le cuivre que les parcours négligents, hasardeux d'un croquis* ». Il remarque que l'art de Manet n'est pas dominé par l'effet et se passe des caresses du métier. Le cuivre est griffé, non recouvert. Dans ce refus du pittoresque, du romantisme, il y a une approche véritablement impressionniste du cuivre qui est bien mise en valeur par ce procédé « à la plume » qu'avait mis au point son ami et conseiller technique, Félix Bracquemond.

En ce qui concerne ce procédé très particulier, voir notre n° 169, et l'article de J.-P. Bouillon : *Bracquemond, Rops, Manet et le procédé à la plume* dans *Nouvelles de l'estampe*, n° 14, 1974, p. 5. Il permettait de dessiner à la plume plutôt qu'à la pointe, ce qui doit plaire à Manet qui ne se voulait pas graveur et reportait plutôt ses dessins sur cuivre. Il disposait ainsi d'une liberté dont on voit bien qu'il usa. Ce procédé ayant été découvert en 1864, M. Bouillon pense que l'enthousiaste Bracquemond, pour en faire profiter ses amis et le mettre à exécution, n'attendit pas un an et qu'il faut donc réviser la date de 1865 attribuée jusqu'ici à cette petite planche.

Nous la présentons comme une justice rendue à Bracquemond qui fut pour beaucoup dans les gravures de Manet — comme de tant d'autres — et sans qui elles n'existeraient pas. On sait que, pour Manet, il réalisait souvent les opérations de gravure proprement dites, c'est-à-dire la morsure, ou la pose du grain d'aquatinte. Cette planche était d'ailleurs restée dans son atelier. Nous en montrons l'un des rares exemplaires avant le retirage de 1906.

139

LE MONTREUR D'OURS, *dessin au lavis préparatoire*, 1865 (De Leiris 216). — B.N., Estampes, anc. coll. Barrion et Moreau-Nélaton.

140

LE MONTREUR D'OURS, *eau-forte*, 1865 (G. 41, H. 9), épreuve sur chine, seule épreuve connue. — B.N., Estampes, anc. coll. Barrion et Moreau-Nélaton.

La « manière espagnole » de ces œuvres (Rosenthal, p. 41) les a fait dater d'abord de 1865, car Guérin pensait qu'il s'agissait d'une scène vue, et croquée sur place, pendant le voyage en Espagne. L'eau-forte est la reproduction du dessin, puisque, comme l'a noté Guérin, « *la trace de pointe qui a suivi les traits du croquis, à l'effet de le décalquer sur le cuivre est visible à l'envers du dessin* ». Pour des raisons stylistiques, Miss Harris et A. de Leiris ont vieilli cette œuvre de quatre ans, mais la suggestion de Guérin nous semble demeurer plus convaincante. Grâce au dessin que possède le Cabinet des estampes, nous avons une idée du travail de Manet, et nous rendons compte qu'il s'agissait bien d'une véritable transposition sur cuivre, et que Manet ne cherchait pas l'originalité de son estampe à tout prix, comme le feront ensuite les virtuoses qui auront à cœur d'attaquer le vernis sans décalquer le dessin. Pour Manet, l'estampe est encore un moyen de reproduction, même si, chemin faisant, il s'emporte, et obtient des effets neufs.

141

OLYMPIA, PREMIÈRE PLANCHE (Guérin, 2e), *eau-forte*, 1867 (G. 40, H. 52), 2e (dernier) état. — B.N., Estampes, anc. coll. Moreau-Nélaton.

142-143

OLYMPIA, DEUXIÈME PLANCHE (Guérin, 1re), *eau-forte*, 1867 (G. 39, H. 53), 1er état

142

144

avec rehauts au pinceau, à la gouache et à l'encre de chine, et 5e (dernier) état.
— B.N., Estampes, anc. coll. Moreau-Nélaton.

144
ÉTAT NON DÉCRIT PAR GUÉRIN NI HARRIS. — Collection particulière, Paris.

Cette gravure était destinée à reproduire le célèbre et scandaleux tableau de 1863 dans
la brochure que Zola consacrait à la défense de son ami en mai 1867 (*Revue du XIXe siècle*,
1er janvier 1867-1868), après l'exposition personnelle de Manet, place de l'Alma, face à
l'Exposition officielle et Universelle du Champ de Mars d'où il avait été exclu. Là encore,
c'est donc un simple problème de reproduction qui se pose à Manet. Il semble (cf. Haris,
no 53) qu'il ait eu recours à Bracquemond, avec qui il a pu collaborer. On trouve sur
certains états la lettre *B* discrètement gravée. L'ordre des deux planches donné par Miss
Harris est plus satisfaisant que celui de Guérin, la première étant visiblement un essai,
moins proche de la peinture (avec une mèche sur le front d'Olympia), et qui semble avoir
été abandonné au profit d'une seconde planche qui fut publiée. Elle le fut d'ailleurs après
de nombreux états, dont l'ordre n'est pas encore débrouillé, ni la liste définitive, puisque
nous en exposons un qui n'est décrit dans aucun catalogue.
    Le dernier état que nous exposons, c'est-à-dire celui de la planche telle qu'elle fut
tirée pour la publication de Zola, est ainsi le 5e pour Miss Harris, le 6e pour Guérin, qui
en reproduit un autre (pour lui le 5e) que Miss Harris passe sous silence, et le 7e si l'on
tient compte de celui exposé ici.

145
LE TORERO MORT, *eau-forte*, 1868, (G. 33, 3e état, H. 55, 2e état). — B.N., Estampes,
anc. coll. Moreau-Nélaton.

Cette eau-forte fut exposée au Salon de 1869, mais non à l'exposition personnelle de Manet
en 1867. La date de 1868 que lui assigne Miss Harris est donc vraisemblable. Elle copie
un fragment de tableau que Manet avait finalement découpé et traité pour lui-même. La
réminiscence de Velasquez et les influences classiques sont évidentes, et cette position
du cadavre en raccourci hantera Manet qui composera ainsi sa scène de *Guerre civile*
de 1871 (G. 75, H. 72). Mais le souci de Manet semble avoir été de projeter son modèle en
avant, gardant un fond presqu'uniforme, uniquement différencié par deux ou trois plages
d'aquatinte, c'est-à-dire en réduisant à rien les éléments conventionnels qui signifient
la perspective. C'est d'ailleurs sur les plages d'aquatinte que portent surtout les différences
d'états qui sont nombreuses. Guérin et Miss Harris en comptent chacun six, mais ce ne
sont pas les mêmes et, leur ordre est différent. Il peut y en avoir sept en tout, quant à
l'ordre (les nos 1, 2, 3, 4, 5 et 6 de Guérin correspondent aux nos 1, 4, 2, non décrit de Miss
Harris, alors que le no 5 de Harris n'est pas décrit par Guérin), il semble impossible à
reconstituer, mais celui de Guérin est techniquement plus probable que celui de Miss Harris.
L'important est de voir comment les tons en à-plat, contraires aux normes de la représentation traditionnelle, renforcent le caractère dramatique du sujet.

146
LA QUEUE DEVANT LA BOUCHERIE, *eau-forte*, 1870 (G. 58, H. 70). — B.N., Estampes,
anc. coll. Moreau-Nélaton.

Cette planche, dont le cuivre est conservé au Cabinet des estampes, est bien datée par
son sujet : c'est une scène du siège de Paris durant l'hiver 1870-71. C'est donc une des
dernières eux-fortes de Manet. C'est aussi l'une des plus intéressantes. Certes, comme

les critiques l'ont souligné (cf. Rosenthal, p. 145-146; Issacson, nº 32 et Ernest Schleyer, *Far eastern art and French Impressionnism*, dans *Art Quarterly*, VI, 1943, p. 125), c'est un « *inextricable composé de Goya et de japonisme* ». En fait, c'est l'originalité de Manet, bien décantée à la fin de son œuvre, qui frappe d'abord. Aucun contour, aucun relief, pour ainsi dire pas de modelé; par le simple jeu de hachures nerveuses, il suggère formes et volumes, lumières et opacités. C'est l'aboutissement de son art d'aquafortiste et l'une de ses réussites les plus impressionnistes. On ignore dans quelle intention Manet entreprit cette eau-forte, mais il est possible, comme le croit Miss Harris, qu'elle soit inachevée.

XII. FANTIN-LATOUR

Fantin-Latour fut lié aux membres du mouvement réaliste et impressionniste et particulièrement aux graveurs, à Whistler, à Legros, à Bracquemond. Il était donc nécessaire de l'évoquer d'autant qu'il fut le grand lithographe de son temps et que son œuvre en cette technique n'a pas d'équivalent dans sa génération. Cependant on ne saurait faire de lui un impressionniste pur. Outre qu'il ne participa pas aux expositions du groupe, il traite généralement de thèmes allégoriques très étrangers aux soucis impressionnistes, dans un style certes novateur, et plus évocateur que descriptif, mais ignorant les recherches complexes qui sont le propre de l'estampe impressionniste.

La Bibliothèque nationale possède un œuvre de Fantin-Latour somptueux et, de plus, un important ensemble de documents sur le peintre — ses propres archives — réunis par Madame Fantin-Latour et offerts au nom de la famille Templaere. Les volumes de la Réserve comprennent en particulier les premiers états des lithographies, imprimés d'après le papier-report sur lequel il travaillait. Deux collectionneurs ont rassemblé un œuvre complet de Fantin-Latour : Beurdeley et Hédiard, qui fut aussi son fidèle catalographe. Janine Bailly-Herzberg a abordé le problème des lithographies de Fantin-Latour, mais nous attendons la thèse de M. Druick, conservateur à la Galerie nationale d'Ottawa, pour avoir le travail important sur Fantin-Latour, qui fait encore défaut.

147
LES BRODEUSES, PREMIÈRE PLANCHE, *lithographie*, septembre 1862 (H. 4). — B.N., Estampes, don Fantin-Latour.

C'est l'une des trois lithographies que Fantin exécuta pour Cadart, lorsque celui-ci voulut relancer la lithographie originale. Mais alors que pour Manet, Bracquemond, Ribot, Legros et Vollon, également impliqués dans le projet, la lithographie demeura un moyen d'expression très annexe, Fantin au contraire semble avoir découvert là un procédé qui lui convenait parfaitement. Il fut d'ailleurs le seul des six artistes présentés à remplir les trois pierres qu'on lui avait fait porter. Il reprit ensuite la lithographie en 1873, et devint un champion de cette technique.

Fantin utilisa pour cette lithographie un dessin de 1855; elle ne fut tirée qu'à 5 ou 6 épreuves chez Lemercier, c'est donc une pièce rarissime. Pour son ami et catalographe, Germain Hédiard, « *ce sujet d'intimité où le jeune artiste avait fait poser les deux sœurs est resté par malheur unique en son œuvre lithographié. Il y avait mis dès lors cette absolue sincérité du regard et de la main, cet oubli de tout, en présence du vrai qui, depuis, ont fait assurément le mérite de sa peinture* ».

148-149

Baigneuses, deux petites planches, *lithographies*, v. 1877 (H. 11 et 12. — B.N., Estampes, don Fantin-Latour.

Reprenant la lithographie après 1873, Fantin devait surtout y exprimer les allégories musicales qui le passionnaient. Il serait peut-être bon de voir en quoi ce désir d'établir des « correspondances » baudelairiennes entre lithographie et musique, est impressionniste, mais dans les résultats rien n'est plus éloigné des objectifs de l'impressionnisme, peinture de la réalité, que ces planches qui préfigurent le symbolisme. Cependant la manière est la même, les effets brumeux que permet le grain lithographique y sont traités pareillement. C'est pourquoi nous préférons montrer les études des *Baigneuses*, parmi les rares essais réalistes de Fantin lithographe, qu'on pourra mieux comparer aux œuvres impressionnistes. Ces premières petites planches offrent d'autre part, comme le dit Hédiard, « *cet intérêt d'être des essais : en les faisant, M. Fantin éprouvait le papier autographique. Personne à l'heure actuelle n'est resté plus proche de Fragonard ou de Watteau* ». Elles furent tirées à 5 ou 6 épreuves d'essai et exposées encore au Salon de 1893, c'est dire qu'elles ont en quelque sorte « sauté par dessus l'impressionnisme » pour retrouver l'art de la fin du siècle.

150

Baigneuse debout, première planche, *lithographie*, 1879 (H. 27), 1er état avant la lettre tirée à 7 ou 8. — B.N., Estampes, don Fantin-Latour.

Nous donnons là un exemple du travail de Fantin qui se déroulait en deux étapes, comme l'a expliqué Léonce Bénédite, qui fut l'un des premiers à organiser une exposition de « *lithographies originales de Fantin-Latour* » au Musée du Luxembourg, le 1er juin 1899. « *De ces lithographies, quelques-unes sont crayonnées directement sur pierre, mais presque toutes sont dessinées sur papier de report et de préférence sur papier calque. Elles sont généralement tirées en 2 états : un premier état que donne le dessin après le report sur pierre; un deuxième après les retouches sur la pierre...*

« *M. Fantin s'est beaucoup défendu d'être un lithographe, et les professionnels de la pierre ont assez volontiers affecté de le distinguer d'eux et de ne le considérer que comme un dessinateur, donnant pour raison que ses dessins sont spécialement obtenus sur papier de report. Toutes ces vieilles querelles entre gens — c'est le cas de le dire — qui se jettent continuellement des pierres dans leurs jardins, sont aujourd'hui de l'histoire ancienne. C'est une véritable chinoiserie de vouloir distinguer les arts ou les procédés suivant la nature des crayons, la forme des instruments, etc. On irait très loin dans ce sens.* »

151-152

Baigneuses, grandes planches, *lithographies*, 1881, première planche (H. 37), 4e état, avant la lettre, et deuxième planche (H. 38), 1er état avant la lettre, tirées à 7 ou 8 épreuves d'essais. — B.N., Estampes, anc. coll Moreau-Nélaton.

Outre ses attaches historiques avec les principaux membres du mouvement impressionniste *(L'Atelier des Batignolles)*, la technique de Fantin, qui procède par petites touches ou par frottis légers peut être assimilée, particulièrement dans ses lithographies, à une dérivation de l'impressionnisme. De plus, dans ses planches des *Baigneuses*, il montre un sens de l'observation et du rendu du geste, sans doute de mémoire, qu'il avait appris chez Lecoq de Boisbaudran, et qui est une ligne de force du nouveau dessin, de Daumier à Degas. C'est par ce souci de rendu du dynamisme du mouvement réel — distinct de la description figée du geste académique — qu'il est impressionniste, car sa façon d'utiliser le crayon lithographique est tantôt encore romantique — tantôt déjà esthète, mais toujours assez conventionnelle.

XIII. LEGROS

Comme celles de Fantin-Latour, les estampes de Legros n'ont pas fait l'objet d'un travail sérieux depuis les catalogues avec les suppléments de Poulet-Malassis et Thibaudeau, beaucoup trop sommaires. C'est que Legros vécut en Angleterre après 1863, se fit naturaliser anglais et laissa à Londres ses archives et son atelier. C'était donc aux érudits anglais de faire connaître l'œuvre de Legros et les notes accumulées sur lui depuis sa mort seront bientôt mises en forme et un nouveau catalogue sera établi par Miss Jean Harris. Comme Fantin-Latour, Legros n'est pas vraiment impressionniste. Il fut certes passionné de réalisme, militant, avec Manet et Bonvin, aux expositions de 1855 à 1863. Refusé au Salon de 1861 pour un « *Portrait de Manet* », il y expose des eaux-fortes : *Chanteurs espagnols*, bien proche des eaux-fortes hispanisantes de Manet, ou illustrant le roman réaliste *Le Malheur d'Henriette Guérard*, de Duranty, qui plut tant à Degas. Ses gravures attirèrent l'attention de Baudelaire sur l'eau-forte, en même temps que celles de Manet et de Whistler. A ce niveau précoce du renouveau, son apport n'est pas négligeable, même si, par la suite, il n'évolua pas dans le sens impressionniste. Il possède en effet un sens du rendu de la sensation brute, énergiquement gravée par des lignes qui ne coïncident pas avec *ce que l'on sait* de la réalité mais avec *ce que l'on sent*, qui est l'essence même de l'impressionnisme.

Mme Bailly-Herzberg a bien noté ce qui fait l'originalité de Legros, et pourquoi on ne saurait l'omettre, dans un panorama de l'estampe impressionniste. « *Il rattache sans cesse l'homme à la nature, surtout dans ses eaux-fortes. Elles représentent souvent l'humanité pauvre et laborieuse, que son instinct dramatique, son style volontairement archaïque, et sa technique rude et appuyée ne rendent pas attrayante* ».

153
Les Quatre paysages, *lithographie*, 1862 (P.-M. 96). — B.N., Estampes, anc. coll. Moreau-Nélaton.

Cet essai lithographique, nous pensons qu'il fit partie de l'entreprise de Cadart en 1862, mais, comme Fantin, Legros utilisa des dessins de 1855, d'où cette date que lui donnent les catalogues. Legros avait travaillé avec Fantin-Latour dès 1851 dans l'atelier de Lecoq de Boisbaudran dont l'enseignement novateur est un élément essentiel de l'art réaliste.

En particulier Lecoq organisait des séances de plein air dans la plaine de Montrouge. C'est là que furent exécutés les dessins des *Carriers de Montrouge*, repris dans cette lithographie. En 1854, Fantin partage son atelier avec Legros, qui exécute sa première eau-forte.

L'œuvre de Legros au Cabinet des estampes est très bien représenté ; cette épreuve très rare (Poulet-Malassis ne la connaissait que dans trois collections, Burty, Regamey et Cuisin) en est une preuve. Mais il s'agit essentiellement d'eaux-fortes. Legros ne fit qu'une cinquantaine de lithographies.

154

AU BORD DE L'EAU, EFFET DU MATIN, *eau-forte*, 1880, dite *Mezzot* dans le catalogue P.-M., (P.-M. 218 suppl.). — B.N., Estampes, anc. coll. Moreau-Nélaton.

155

PAYSAGE DE TOURBIÈRES DANS LES MARAIS, *eau-forte*, v. 1880 (P.-M. 220), 2e état. — B.N., Estampes, anc. coll. Moreau-Nélaton.

156

VILLAGE DE WIMILLE, PRÈS BOULOGNE, (souvenir des environs de Boulogne), *eau-forte*, v. 1880, (P.-M. 221). — B.N., Estampes, anc. coll Moreau-Nélaton.

157

LA FERME DU COTEAU, effet de soleil sur le coteau, *eau-forte*, vers 1880, (P.-M. 222). — B.N., Estampes.

Ces différents paysages, nous les avons choisi de préférence aux eaux-fortes de personnages, les plus nombreuses, pour mieux montrer que Legros n'était pas insensible aux effets lumineux, au rendu de l'atmosphère, ce que la plupart de ses eaux-fortes, par leur morsure égale et profonde, peuvent cacher. Ce ne sont pas des eaux-fortes d'après nature, mais d'après des dessins, ou, conformément à l'enseignement de Lecoq de Boisbaudran, de mémoire, puisque vers 1880, Legros était en Angleterre depuis dix-sept ans. C'est la date à laquelle il s'y fit naturaliser, ce qui ne l'empêcha pas, selon la formule de Roger Marx, vérifiée par ses gravures, d'y demeurer « *l'imagier bourguignon* ».

XIV. BRACQUEMOND

Il faudra attendre, pour bien comprendre le rôle central et la personnalité multiple de Félix Bracquemond, le grand travail que lui consacre Jean-Paul Bouillon, professeur d'histoire de l'art à Clermont-Ferrand. Aucun article, en effet, ne peut épuiser le sujet, si riche et si fécond fut le dynamisme de cet artiste. C'est surtout en gravure qu'il laisse un œuvre et des écrits importants. Quoique fasciné par Méryon, semble-t-il, et possédant un métier traditionnel solide, il s'engagea dans tous les mouvements d'avant-garde, entre autres les expositions du groupe impressionniste, où il exposa avec sa femme Marie, initia les meilleurs à ses recherches techniques, en comprenant toujours que la technique est faite pour être dépassée. Déjà la table de sa correspondance, récemment publiée dans la *Gazette des Beaux-Arts* par M. Bouillon, nous révèle l'ampleur de son réseau d'amitiés. Il fut souvent le personnage central des ateliers, chez Delâtre aussi bien que chez Salmon, de la Société des Aquafortistes, de la Société des Peintres-Graveurs, et le recours des indépendants comme Degas ou Pissarro.

    Parmi une œuvre aussi abondante, le choix est difficile. Son style n'est pas caractéristique de l'impressionnisme, sinon par sa prédilection pour le réalisme, et par quelques paysages lumineux qu'il a intitulés « croquis impressionnistes ». Outre quelques exemples de ce genre nous avons choisi, pour représenter le technicien qu'il fut, quelques-uns de ses procédés inédits qui nous ont semblé les plus élaborés et les plus curieux. M. Bouillon nous a déjà éclairés, dans un article, sur le procédé « à la plume » qu'il fit essayer à Félicien Rops et à Manet (cf. notre nº 138). On trouve d'autres procédés bizarres sur lesquels nous sommes mal renseignés, mais, en eux-mêmes, quand bien nous en ignorerions le détail, ils portent leur signification. Par eux nous saisissons combien la gravure fut considérée par les Impressionnistes comme un terrain d'expériences inattendues, et combien, en ce domaine, Bracquemond fut un découvreur patient et généreux.

158-159-160
TROIS GRAVURES DE LA SÉRIE DE LA SEINE AU BAS-MEUDON, *eaux-fortes*, 1868, (Inv. 219, 222 et 223. B. 187, 190 et 191). — B.N., Estampes, anc. coll. E. Béjot :

158

La Seine au Bas-Meudon, 3ᵉ état; Les Saules des Mottiaux; Rue des Bruyères à Sèvres, 1ᵉʳ état.

Dans cette série de huit estampes, Bracquemond a tenté de capter les effets de lumières en technicien de l'eau-forte : c'est-à-dire qu'il ne met pas seulement en œuvre son dessin, qui, avec les rayons lumineux matérialisés par des traits obliques, demeure malgré tout assez conventionnel, mais aussi l'écriture de la pointe, dont les coups aérés traduisent bien l'ombre encore lumineuse, la morsure, et même l'encrage. La première de la série *La Seine au Bas-Meudon*, tirée ici sur papier chine, et rendant bien l'intention de l'artiste, en particulier dans le ciel lourd, mais dont le papier restitue toute la luminosité, est sans doute une des plus belles réussites de Bracquemond en ce domaine. Deux planches de cette suite ont figuré au Salon de 1870.

161
LA SEINE VUE DE PASSY, *pointe sèche*, 1868 (Inv. 216, B. 183), 1ᵉʳ état. — B.N., Estampes.

Bracquemond, généralement aquafortiste, utilise ici la pointe-sèche pure et laisse les larges griffures très à l'aise dans des plages blanches. La spontanéité du trait, le léger fond d'encre, nécessaire en cet état peu travaillé, tout est étudié pour que la pointe-sèche profondément taillée et non ébarbée laisse de larges taches noires qui ponctuent la composition, comme des éclats de couleurs mises en valeur par les masses laissées en blanc. Bracquemond recommandait de ne pas labourer la planche entière et de laisser jouer les blancs; c'est un principe impressionniste dans la mesure où il suppose que l'artiste ne cherche pas une description du sujet.

162
CROQUIS IMPRESSIONNISTE (DU HAUT DE LA FALAISE), *eau-forte et pointe sèche*, 1868? (Inv. 217, B. 185), 2ᵉ état sur papier jaune. — B.N., Estampes, anc. coll. Burty.

C'est Beraldi qui a baptisé cette planche « croquis impressionniste », mais son important catalogue de l'œuvre de Bracquemond doit beaucoup à Bracquemond lui-même et peut-être avons-nous là son idée originale. En fait, les tailles parallèles encore surchargées, au 2ᵉ état, sont loin de donner un ciel « impressionniste » et la composition sent l'artifice avec son premier plan et l'inévitable bateau qui, seul, montre la mer. Bracquemond l'a senti et a dû compléter son « impression » par un effet d'encrage au premier plan, encore accentué au 2ᵉ état; on pourrait faire de cette épreuve presque un monotype. Ces épreuves viennent de la coll. Burty qui, on le sait, avait « arraché » à Bracquemond et dans les ventes, ses meilleurs exemplaires.

163-164-165
LE PÊCHEUR A L'ÉPERVIER, *eau-forte*, 1868 (Inv. 221, B. 189-1). — B.N., Estampes, 1ᵉʳ état, eau-forte pure, anc. coll. Béjot; 2ᵉ état, avec effet d'encrage sur toute la planche, anc. coll. Béjot; 3ᵉ état, avec le pêcheur, anc. coll. Porcabeuf.

Ces trois états permettent de voir en quoi l'estampe impressionniste se distingue par ses épreuves. Soucieux d'expériences nouvelles, et non de diffusion, un technicien comme Bracquemond aime à charger de travaux ses cuivres, mais chaque état constitue une

œuvre, « un original ». C'est en ce sens que Degas parle d'estampe « originale », et Pissarro exposait souvent des *états*, qu'il ne considérait donc pas, comme des approches vers un résultats définitif, mais comme autant d'œuvres différentes.

Le fait que Bracquemond ait ici encré largement le cuivre au 2e état montre bien qu'il cherchait déjà une œuvre complète. Cependant un 3e état suivit, très différent du second, avec le personnage important du pêcheur.

166
ESSAI DE PROCÉDÉ, n. daté (Inv. 449, B.n.d.). — B.N., Estampes.

Selon l'*Inventaire du fonds français*, il s'agirait d'un essai d'aquatinte, mais visiblement, le procédé est plus complexe, et semble avoir une émulsion pour base; le vernis a été craquelé par l'acide.

167
NYMPHE, *essai de procédé*, 1858 (Inv. 115, B. 164). — B.N., Estampes.

Beraldi classe cette planche comme « essai de procédé ». Il est possible qu'il s'agisse assez simplement d'un mélange de vernis mou et de pointe sèche. On voit en effet nettement la trace d'une trame qui n'est pas obtenue par l'aquatinte, et qui se prolonge même sur les marges du cuivre, bien qu'une autre épreuve du Cabinet des estampes ait été tirée sans ces marges. Beraldi le rapproche, dans son catalogue, des essais de procédé à la plume et de l'essai du procédé Vial, mais ce rapprochement n'est peut-être pas fondé sur des considérations chronologiques.

168
DEUX ARBRES AU SOLEIL COUCHANT, *essai de manière noire*, 1856 (?) (Inv. 72, B. 118). — B.N., Estampes, anc. coll. Burty.

Cette manière noire n'a pas été obtenue de façon traditionnelle. A première vue, on pourrait penser que l'artiste a gratté sa planche avec un papier de verre ou une toile émeri, comme Pissarro pour sa « manière grise », car l'effet semble s'apparenter à la pointe sèche et la planche ainsi préparée a, de toute façon été retravaillée à la pointe sèche, mais une planche semblable (Inv. 71, B. 117) montre des traces évidentes de roulette et l'on doit en conclure que c'est en travaillant systématiquement la surface de la planche avec cet outil que la trame qui imite la manière noire a été obtenue.

169
NYMPHE POURSUIVIE PAR UN AMOUR, *essai d'eau-forte à la plume*, 1863-4, (Inv. 116, B. 165). — B.N., Estampes, anc. coll. Burty.

Il semble bien qu'il faille compter cette planche parmi les essais à la plume, que Jean-Paul Bouillon a étudiés à propos de la correspondance de Bracquemond et de Rops, et dont nous avons parlé dans la notice sur le *Portrait de Bracquemond* par Manet (no 138). Il faut rapprocher cette planche comme l'ont déjà fait Beraldi et l'*Inventaire du fonds français*, de la précédente (Inv. 115, B. 164). Si le rapprochement a été fait par Bracquemond lui-même, il y aurait un lien entre le procédé à la plume et le vernis mou tel qu'il est appliqué en l'occurence.

168. — F. Bracquemond, essai de manière noire.

175. — H. Guérard, monotype.

XV. GUÉRARD

Le don de son œuvre au Cabinet des estampes par sa famille en 1972 et le catalogue qu'en a entrepris Mme Bertin et les travaux annoncés par Mme Bailly-Herzberg sur lui et sa femme, Eva Gonzalès, contribueront sans doute à faire sortir de l'ombre l'un des acteurs les plus méconnus du grand renouveau de la gravure dans la seconde moitié du XIXe siècle : Henri Guérard. De son vivant il fut connu surtout comme le grand animateur, après Bracquemond, le praticien indispensable auquel les peintres confient leur planche, celui aussi qui, par son enthousiasme et ses connaissances techniques, suscite des vocations. C'est ainsi qu'en parle Burty dans la préface de l'exposition des Peintres-Graveurs en 1890 : « *Henri Guérard, dépasse les plus habiles tireurs d'épreuves en France comme en Angleterre. Il use de procédés qui lui appartiennent, d'encres qui obéissent à toutes ses fantaisies* ». Notons que Burty n'écrit pas « imprimeur », mais « *tireurs d'épreuves* ». Au peintre impressionniste qui grave par plaisir de rares planches non diffusées, correspond évidemment un imprimeur un peu spécial, lui aussi artiste, considérant chaque épreuve comme une œuvre nouvelle, prêt à la surcharger d'expériences et d'effets d'encrage, plus soucieux d'inventions que de reproductions. Tel fut Henri Guérard, suffisamment aisé pour vivre sans trop de soucis d'argent; il grava, imprima, fit graver les autres et les imprima avec, semble-t-il un égal dévouement. A sa mort, il laissait plus de 600 cuivres, zincs et bois. Quelques-uns étaient des gravures de reproduction exécutées pour la *Gazette des Beaux-Arts*, ou *L'Art japonais* de Louis Gonse, car Guérard était justement célèbre pour ce travail. La plupart était des expériences, tirées en de multiples états sur de bizarres papiers, avec des encres variées, mais chaque fois en un ou deux exemplaires. Ces essais d'ateliers qui emplirent son œuvre restèrent donc parfaitement inconnus ou presque.

Cependant Guérard fut mêlé à toutes les aventures de l'estampe impressionniste et particulièrement aux côtés de Manet dont il était l'ami et le technicien en gravure. Nous avons vu que Manet lui écrivait : « *L'eau-forte n'est pas mon affaire* ». Le grain d'aquatinte du *Torero mort* a été posé par Guérard, le cuivre de *Jeanne* mordu par Guérard, le *Christ aux anges* tiré par Guérard. Puis Guérard devint l'organisateur avec Bracquemond de la *Société des Peintres-Graveurs* en 1889. Il imprima les Sisley de la 2e exposition, et exposa lui-même régulièrement.

170

BATEAUX A VOILE, *lavis à l'eau-forte* sur papier vert. — B.N., Estampes, don Guérard.

Encore un procédé peu usité, surtout exclusivement, comme il l'est ici. Il pourrait s'agir d'un vernis mou ou d'un léger travail à la roulette, mais le plus probable est qu'il s'agit d'un simple lavis à l'acide directement sur la planche qui donne un encrage extrêmement pâle. C'est cet encrage sur fond laiteux, qui produit l'effet d'une épaisse brume de mer à travers laquelle on verrait la silhouette des voiliers.

171-172

BATEAUX A VOILE, *eaux-fortes*, 1er état avant le ciel à l'aquatinte, tiré à 2, n° 1; même planche avec l'aquatinte. — B.N., Estampes, don Guérard.

Cette expérience si significative doit être rapprochée des eaux-fortes « mobiles » de Lepic. Deux effets d'atmosphère sont obtenus par deux systèmes de représentation différents qui ne doivent rien, ni l'un ni l'autre au dessin. Le premier est un effet d'encrage essuyé dans le ciel, avec le même effet projeté, comme un reflet, sur la mer : effet de pluie d'un ciel gris et lourd. Dans le second essai, le ciel est traité à l'aquatinte brute donnant l'effet de nuage orageux clairsemé. Le reflet sur l'eau a bien entendu disparu. La même expérience pour le traitement du ciel a été menée sur une planche représentant des moulins. C'est peut-être devant elles, en les comparant aux toiles du même motif, lors de la grande exposition Guérard tenue chez Bernheim (282 pièces exposées du 15 décembre 1887 au 5 janvier 1888) que Fénéon écrit : « *Ses marines de Dieppe et de Honfleur et ses vues de Montmartre sont d'opaques ébauches ; mais les qualités de finesse, de transparence et de coloris qui manquent aux toiles de M. Henri Guérard, embellissent ses gravures.* »

173

PORT, EFFET DE PLUIE, *eau-forte et aquatinte*. — B.N., Estampes, don Guérard.

Devant les épreuves de Guérard on a l'impression d'un produit brut, inachevé, impatiemment exécuté. Le ciel d'orage est ici obtenu par des masses d'aquatintes non dessinées, mais craquelées au hasard. C'est bien là un procédé impressionniste également employé par Degas et Pissarro. Le reste de la plaque est piqué, strié, gratté, le motif ne joue plus qu'un rôle secondaire qui disparaît sous l'effet des travaux d'un art presque « gestuel ».

174

MOULIN A MONTMARTRE, *eau-forte et monotype*, signée et datée dans la planche : *8 bre 70*. — B.N., Estampes, don Guérard.

Une des rares planches datées par l'artiste, qui prouve que, dès 1870, il était assez audacieux pour dessiner avec l'encre d'imprimerie un ciel d'orage, selon les procédés d'encrages qui deviendront familiers aux impressionnistes. C'est de l'eau-forte « mobile », comme en fait Lepic, et de façon plus convaincante. Le tertre a été traité par un bouillonnement de traits et par un grattage au papier à l'émeri.

175

SOLEIL COUCHANT, *monotype*, signé au crayon en bas à droite. — B.N., Estampes, don Guérard.

C'est le seul véritable monotype que nous ayons retrouvé dans l'atelier de Guérard dont l'œuvre abonde en effets d'encrages abondants (cf. numéro précédent). Ses expériences aboutissaient logiquement à ce résultat. Un jeu, dans son atelier, consistait à imprimer

171

172

l'empreinte de la main de ses visiteurs trempée dans l'encre et posée sur la plaque, comme pour un monotype. C'est là, la forme la plus élémentaire d'estampe.

176-177-178
ENFANT DANS UN PRÉ, *eau-forte en couleurs*, 2ᵉ état, 3ᵉ état et état définitif. — B.N., Estampes, don Guérard.

L'un des plus réussis des essais de gravure impressionniste en couleurs. Grâce à la roulette, Guérard a parfaitement appliqué les méthodes de mélange optique et des reflets complémentaires. Le pointillisme de l'outil est très délicat. Parmi les nombreux essais que Guérard opéra sur cette planche, nous n'avons choisi que trois étapes significatives qui montrent à quel point le peintre-graveur jouait sur les variations de couleurs d'un tirage à l'autre, mais le Cabinet des estampes en conserve une longue série.

179-180-181
COUR LOUEDIN, HONFLEUR, *trois eaux-fortes* : 1. Petite eau-forte avec drapeaux, esquisse, monogramme en bas à gauche; 2. Eau-forte tirée en bistre, signée en bas à droite; 3. La même planche coloriée. — B.N., Estampes, don Guérard.

Comme ses amis, Guérard était très préoccupé de gravure en couleurs. Les décompositions nombreuses qu'on a retrouvées dans son atelier prouvent qu'il avait acquis une véritable maîtrise de l'estampe au repérage. Il en joue pour essayer des effets lumineux en variant à l'infini les combinaisons de couleurs, tirant la même planche avec des encres différentes, etc. Mais pas plus que les autres, il ne semble avoir été satisfait du résultat. L'opacité de l'encre d'imprimerie décevait leurs efforts vers la couleur légère et lumineuse. Aussi, comme Pissarro et Degas, en était-il réduit à colorier à la main des épreuves tirées en noir. Nous en avons ici un exemple rehaussé d'aquarelle. L'estampe n'est alors reproduite que pour servir de support. L'œuvre est en fait assimilée au dessin unique, comme le monotype, dans la pure définition de l'estampe originale.

XVI. DEGAS

« *La peinture, est-ce que c'est fait pour être vu ?... On travaille pour deux ou trois amis vivants... La peinture, c'est la vie privée.* » C'est un des « mots » qu'on prête à Degas. En ces conditions, que dire de l'estampe? Elle semble, dans la mesure où elle reproduit et diffuse, condamnée. Et pourtant Degas laisse l'œuvre gravé le plus original, le plus fort, de tout le groupe impressionniste. L'estampe, pour Degas, n'est donc pas un moyen de reproduction : une seule édition fut projetée. Au mieux l'utilise-t-il comme transfert pour d'autres travaux. Mais, en général, l'estampe est pour lui une manière un peu compliquée de dessiner. Il tire lui-même de rares épreuves, souvent différentes et, effectivement, les donne à deux ou trois amis, ou les garde. On les retrouva dans les ventes de son atelier. C'est un exercice personnel, et, pour reprendre une expression déjà utilisée pour ses monotypes, ce sont des « anti-estampes », c'est-à-dire des estampes qu'on ne peut reproduire. Le monotype est l'aboutissement logique de ces conceptions. Cette technique occupe donc une place centrale dans l'œuvre de Degas. Mais il alla plus loin, surchargeant à leur tour les monotypes de pastel, voire même de crayon lithographique. C'est aussi l'aboutissement logique de la notion d'estampe « originale », entièrement fabriquée par l'artiste. Et c'est bien en ce sens extrême que Degas emploie l'expression « estampe originale », montrant tout ce que son acception actuelle doit au compromis. Il écrit, à propos de ciels à rendre par l'aquatinte : « *En ne voulant faire que des gravures d'art original, c'est peut-être assez facile* », et ailleurs (une autre lettre à Pissarro), à propos d'estampes à colorier avec des caches de cuivre : « *il y aurait là à faire plusieurs essais d'impressions originales et curieuses* ». Il est évident que, dans ces deux cas, ce qu'il entend par « original », c'est ce que nous nommons « épreuve unique ». Souvent les états sont si nombreux que leur nombre égale presque celui des épreuves; c'est ce que nous avons voulu montrer en multipliant les exemples des deux collections de la Bibliothèque nationale et de l'Institut d'art et d'archéologie, qui se complètent. Ce que nous avons voulu montrer aussi, avec les suites de la *Femme sortant de son bain*, c'est que, paradoxalement, Degas fut obsédé — le mot n'est pas trop fort — par l'idée de « reproduire » ses estampes. On ne saurait expliquer autrement ces essais multiples et répétés « *chez Manzi* », spécialiste de la reproduction, puis ses travaux avec Thornley, le lithographe. Une lettre importante a été récemment publiée à propos de De Nittis, à qui Desboutin l'a adressée, mais qui en fait est surtout instructive pour l'esprit dans lequel Degas faisait ses estampes : « *Degas était le seul que je visse journellement, et encore celui-là n'est-ce plus un ami, n'est-ce plus un homme, n'est-ce plus un artiste ! C'est une plaque de zinc ou de cuivre noircie à l'encre d'imprimerie et cette plaque et cet homme sont laminés par sa presse dans l'engrenage de laquelle il a disparu tout entier ! — Les toquades chez cet homme ont du phénoménal ! — Il en est à la phase métallurgique pour la reproduction de ses dessins au rouleau, et court tout Paris, par ces chaleurs ! — à la recherche du corps d'industrie correspondant à son idée fixe ! — C'est tout un poème ! — Sa conversation ne roule plus que sur les métallurgistes, sur les plombiers, les lithographes, les planeurs, les niliographes ! — etc. Vous aurez cela pour la rentrée — je vous y attends — vous me relayerez ! grâce à Dieu.* » (Lettre de Desboutin à De Nittis, 15 juillet 1876). Ainsi, alors même qu'il semble tourné vers l'épreuve unique, il ne pense qu'aux reproductions. Mais l'époque n'était pas aux reproductions *d'artistes*, c'est-à-dire qu'on ne songeait pas à mettre à la disposition des artistes les moyens techniques de l'imprimerie industrielle, ce qu'aurait souhaité Degas. Les deux domaines, comme encore de nos jours, étaient bien délimités, dans les esprits du moins : estampe artisanale, faite à la main, rare, originale et estampe de reproduction industrielle et commerciale, d'où toute création est exclue. Peut-être est-ce à cause de cet état d'esprit catégorique que l'œuvre gravé de Degas est si restreint alors « qu'il en rêvait la nuit ». Les vraies estampes de Degas, les plus originales, sont peut-être celles qu'il n'a pas pu faire, celles auxquelles il pensait lorsqu'il écrivait à Rouart : « *Je ne pense qu'à la gravure, et je n'en fais plus* ».

Aucun peintre-graveur n'a jamais, vis-à-vis des techniques montré autant d'audaces, autant d'insolences. Il est le grand révolutionnaire, et lui, si conservateur, s'entend à merveille dès qu'il s'agit d'art, avec Pissarro pour qui « *tout art est anarchiste* ». Degas semble, dans le groupe impressionniste, avoir joué, en ce qui concerne l'estampe, le rôle discret mais sûr du meneur. Seul Bracquemond peut rivaliser avec lui sur le plan du prosélitisme. Les lettres à Pissarro et à Bracquemond, son enthousiasme pour « Miss Cassatt », ses multiples recherches de chimie de la gravure qu'on trouve dans ses carnets, son rôle déterminant dans le lancement du journal *Le Jour et la Nuit*, le prouvent. Comme pour les expositions, il fut avec Pissarro le pilier du groupe. On a voulu faire à Degas un sort à part, sous prétexte qu'il ne travaillait pas « le plein-air ». (« *Ces peintres de chevalet en plein-air, les gendarmes devraient leur tirer dessus !* »). Mais on sait bien que c'est un contre-sens total de faire du plein-airisme un élément déterminant de l'Impressionnisme. Les estampes de Degas le montrent encore, avec leurs recherches super-impressionnistes

189. — E. Degas, Loges d'actrices.

d'éclairages artificiels, et elles nous fortifient dans l'idée que la définition de l'Impressionnisme gît davantage dans une approche nouvelle de la réalité immédiate. Degas est le seul artiste cité par Duranty dans sa « *Nouvelle peinture* ».

L'œuvre gravé et lithographié de Degas comporte trois noyaux, qui apparaissent clairement dans le nouveau classement qu'en a fait J. Adhémar : 1) les œuvres de jeunesse, autour de 1858 et de ses voyages italiens, essentiellement des portraits que nous présentons dans la rubrique : *La tradition : Degas et Rembrandt* (nos 30 à 38) ; 2) le noyau central, dans les années 1877-1880 (chronologie indéterminable à l'intérieur de ces dates), où il est préoccupé de scènes à la lumière artificielle (théâtre, cabaret, cirque) ; 3) enfin, l'admirable suite des *Femmes sortant du bain* autour de 1891, que nous exposons largement.

Degas donnait une épreuve de toutes ses estampes à son grand ami Rouart dans l'espoir que celles-ci seraient ensuite offertes à la Bibliothèque nationale, dont Degas fut un habitué. La collection de la bibliothèque fut en fait constituée en grande partie d'acquisitions, et doit être complétée par la très belle collection Doucet, et quelques pièces de la collection Camondo au Cabinet des dessins du Louvre. Le Cabinet des estampes conserve en outre 29 carnets de l'artiste, donnés par son frère René, remplis de croquis et de notes, très précieux pour l'étude de son œuvre, et qui vont être publiés par le professeur Th. Reff.

182
Sur la scène, 2e planche, *vernis mou*, 1877 (Adh. 26, L.D. 32. M. 23), 3e état sur 6. — B.N., Estampes, anc. coll. Rouart.

183
Sur la scène, 3e planche, *vernis mou*, 1877 (Adh. 27, L.D. 33), 4e état. — B.N., Estampes, anc. coll. Rouart.

Après les portraits qui forment l'essentiel du début de son œuvre, Degas, en 1877 commence une série qui en est comme le noyau. Le thème est unique : étude de compositions mouvementées avec des effets de lumière artificielle. Pour le traiter, il choisit évidemment des scènes de théâtre, sous l'angle intime et réaliste. Il existe trois planches de « Sur la scène » (Adh. 25-26-27, L.D. 31-32-33). Nous en présentons deux. Au 1er et au 3e état, la 2e planche a été très retravaillée et montée, ensuite les modifications seront moindres et c'est presque l'état définitif (5e et 6e, Bibl. de l'Institut d'art et d'archéologie, coll. Doucet). La troisième planche existe en quatre états. Nous montrons l'état définitif au Cabinet des estampes. Nous assistons aux tentatives de Degas pour traduire une vision complètement renouvelée, négligeant le motif qui eût jusqu'alors semblé essentiel (les danseuses) au profit de l'impression du spectateur. Le haut de la contrebasse qui cache la scène est un véritable défi à la représentation académique, de même le décor, totalement abstrait n'est là que pour donner l'idée des ombres mouvantes. Cette série « *Sur la scène* » est peut-être, en gravure, historiquement la plus révolutionnaire. La technique est elle aussi un défi à l'académisme : le vernis mou est un dessin avant d'être une gravure, et il est ici repris avec plusieurs instruments de gravure, et submergé d'effets d'encrages. C'est l'une des trois seules gravures que Degas laissa publier, dans le *Salon de 1877 des Amis des Arts de Pau*. A rapprocher de *Danseuses avec contrebasse*, pastel (L. 565), v. 1879.

184

DANSEUSES DANS LA COULISSE, *eau-forte et aquatinte*, vers 1877 (Adh. 28, L.D. 26, M. 26), 8e état sur 9. — B.N., Estampes.

Le catalogue de J. Adhémar donne la description des 8 états (9 pour Guérin) et reproduit le 5e d'après l'épreuve de la Bibl. de l'Institut d'art et d'archéologie. La différence avec le dernier état, ici exposé, n'est pas considérable. Le plus curieux est la composition où les danseuses sont cachées par les panneaux successifs du décor figurés par des plages d'aquatinte et d'eau-forte qui forment un découpage abstrait et arbitraire. Comme avec les monotypes, on atteint ici à une pratique de la gravure, non pour ses aptitudes à reproduire un motif, mais pour la beauté de sa matière même, indépendamment de toute figuration.

185

DERRIÈRE LE RIDEAU DE FER, *aquatinte et pointe-sèche*, v. 1877 (Adh. 29, L.D. 21, M. 18), un seul état. — B.N., Estampes, anc. coll. Rouart.

186

LES DEUX DANSEUSES, *pointe sèche*, v. 1877 (Adh. 30, L.D. 22) épreuve avec mention manuscrite : *Effet de gris, Degas*. — B.N., Estampes, anc. coll. Rouart.

Deux des plus étonnantes recherches de Degas, tant par l'iconographie, de l'intimité, de l'envers du décor et de l'acteur sans son masque que par la technique par laquelle ces impressions sont rendues. C'est une sorte de manière noire ou « grise » dans la mesure où l'artiste a travaillé chaque tache de lumière au brunissoir sur un fond d'aquatinte. La lumière d'un projecteur n'est pas représentée par des objets qu'elle éclaire, mais par l'éblouissement qu'elle provoque; tout le reste est dans l'ombre, avec d'imperceptibles accents de pointe sèche qui font discerner les personnages.

187

AUX AMBASSADEURS, *eau-forte, aquatinte et pointe-sèche*, v. 1877 (Adh. 30, L.D. 27, M. 25), 2e état. — B.N., Estampes, anc. coll. Béjot.

Souvent les Impressionnistes ont utilisé leurs estampes pour base de travaux à l'aquarelle, à la gouache ou au pastel. L'estampe, déjà surchargée de préparations comme le montre l'épreuve du Cabinet des estampes, disparaît alors sous le dessin. C'est, avec les rares publications et tirages, la seule occasion où Degas et Pissarro se servent de l'estampe comme procédé de reproduction, ou du moins de transfert. Ils disposent ainsi, grâce à la plaque, d'un fond qu'ils peuvent reporter et utiliser comme support à un dessin en couleurs. C'est la plus pure expression de l'estampe impressionniste, œuvre qui tend non à la multiplicité mais à l'unicité, où l'on surveille plus les variations que les invariants. L'égalité du tirage, puisqu'ils sont exempts de tout souci d'édition, les indiffère. Ils sont au contraire attentifs à la différenciation de l'épreuve, ce qui leur fournit un champ d'expérience irremplaçable pour saisir le fugitif et l'insensible. Grâce à Camondo, client assidu de Durand-Ruel et de Vollard, le Louvre possède un exemple de ce travail caractéristique, une épreuve de cette estampe rehaussée de pastel.

187. — Aux Ambassadeurs, eau-forte.

191. — Mlle Bécat aux Ambassadeurs, lithographie.

188-189

Loges d'actrices, *eau-forte et aquatinte*, v. 1880, (Adh. 31, L.D. 28, M. 32), 2e état. — B.N., Estampes, coll. Rouart, 5e ou 6e (dernier) état. — B.I.A.A., anc. coll. Bracquemond.

Certainement il faut rapprocher cette planche de celle de *Mary Cassatt au Louvre*, par la complexité de sa composition, en équilibre instable, jouant avec des plans coupés et des reflets.

190

Femme a l'éventail, ou loge d'avant-scène, *lithographie*, v. 1878-79 (Adh. 34, L.D. 56). Un seul état. — B.N., Estampes, anc. coll. Rouart.

Ne doit-on pas considérer, eu égard à la technique encore traditionnelle, qu'il s'agit là de la première lithographie de Degas ? Jamais Degas, sauf en ce cas, n'a employé la presse et le tirage lithographique de façon orthodoxe. Même la planche, au crayon encore très sage : *Chanteuse de café-concert*, sans doute exécutée à la même époque montre une composition très sophistiquée, laissant une page à moitié blanche. Ici aussi la composition est volontairement déséquilibrée, en arabesque, avec un premier plan coupé, un éventail qui masque un quart de la scène, une moitié gauche qui est quasi-vide, bref tout un montage à la japonaise, rehaussé d'ombres et de lumières. Cette composition est en outre intéressante, car elle recoupe l'idée de Mary Cassatt, dans une de ses premières gravures avec le gros plan de l'éventail (cf. n° 288). Après ces deux pièces, Degas ira beaucoup plus loin dans les expériences techniques, inventant à chaque pierre son procédé, charbonnant, grattant renonçant au procédé du dessin sur pierre tel qu'il était pratiqué commercialement.

191

Mademoiselle Bécat aux Ambassadeurs, *lithographie*, v. 1877-79 (Adh. 49, L.D. 42), seul état. — B.N., Estampes, anc. coll. Rouart.

A quoi Zola fait-il allusion dans son article sur la 4e exposition impressionniste (1879), parlant des « divas de café-concert » de Degas ? Peut-être à *La Chanteuse de café-concert* (L. 538, Washington), monotype et pastel proche de « *La Chanson du chien* » ou à deux autres pastels (L. 504 et 505) de la même date que cette lithographie. Mais c'est surtout en lithographie que Degas traita ce thème (Adh. 39 à 43), trouvant dans un procédé encore considéré comme vulgaire un moyen de rendre la vulgarité du sujet. C'est également à cette époque qu'il écrit qu'il « *s'endort en pensant* à ses *lithographies* » (*Correspondance*, p. 204).

192

La Sortie de bain, *eau-forte, pointe-sèche et aquatinte*, v. 1880-82 (Adh. 49, L.D. 49, M. 35). — B.N., Estampes.

193

Deux danses, ou dans la coulisse, *pointe-sèche (crayon à l'émeri)*, v. 1880-82 (Adh. 36, L.D. 23, M. 20), 2e état. — B.N., Estampes, anc. coll. Viau et Rouart.

La technique rapproche ces deux planches dont l'essentiel est fait à la pointe sèche mais, faute d'outil — on connaît l'histoire racontant comment Degas exécuta *La Sortie de bain*, à l'improviste un jour que le verglas l'avait retenu chez son ami Rouart — Degas utilisa un charbon de lampe électrique, qui raye le cuivre, et lui fut révélé par Rouart, qui était polytechnicien. Plus tard, il le remercie pour « *cette pierre qui raye le cuivre de façon déli-cieuse* », et lui réclame du « crayon à l'émeri », autre abrasif qui est peut-être différent du premier. Effectivement, le trait obtenu, tout en gardant la douceur grise de la pointe sèche, semble plus raide. La date de ces planches doit être antérieure à celle de la lettre à Rouart (1882) où il dit aussi : « *Je ne pense qu'à la gravure, mais je n'en fais plus* ».

Le sujet de *La Sortie de bain* est remarquable aussi pour la suite de l'œuvre de Degas, où il fut privilégié. Le même motif fut repris dans le monotype que nous présentons aussi (nº suivant). Il permettait à Degas de saisir le nu non pas dans une pose académique, mais de façon réaliste, dans une esthétique qui a été très bien définie par Huysmans, (*L'Art moderne*, p. 17) : « *Le nu tel que les peintres le comprennent n'existe pas. on n'est nu qu'à certains moments, dans certaines conditions, dans certains métiers ; le nu est un état provisoire, voilà tout* ».

194

SORTIE DE BAIN, *monotype*, 157 × 118 mm., 1877 (Cachin 133, Janis 176). — B.N., Estampes, anc. coll. Viau.

194a

SORTIE DE BAIN, *même composition plus grande* (160 × 215 mm.), *en monotype, rehaussée au pastel*, 1877 (Janis 175). — Musée du Louvre, Cabinet des dessins, legs Caillebotte.

La même composition en monotype noir et rehaussée au pastel, forme avec la gravure précédente un ensemble particulièrement significatif. Degas a, selon son habitude, repris en diverses techniques, le même motif, comme Manet ne se lassant pas de peindre un sujet sous vingt éclairages différents. C'est là aussi l'effet du goût de la peinture ou de l'estampe, pour elle-même, indépendamment du sujet. Sur ce travail de rehaut, cf. notre nº 187, dont nous n'avons pu exposer le pastel en raison de sa fragilité. Notre nº 194a fut exposé à la 3ᵉ exposition des Impressionnistes (1877) où Degas montra pour la première fois des « *dessins faits à l'encre grasse et imprimés* ».

195-196

MARY CASSATT AU LOUVRE, MUSÉE DES ANTIQUES, *eau-forte, aquatinte et pointe-sèche*, v. 1879-80 (L.D. 30, Adh. 53), 3ᵉ état. — — B.I.A.A., coll. Doucet et 6ᵉ (dernier) état. — B.N., Estampes, anc. coll. Porcabeuf.

Cette étude occupe une place particulière dans l'œuvre de Degas, puisque c'est la seule qu'il ait exécutée, semble-t-il, en vue d'une publication : un album mensuel intitulé *Le Jour et la Nuit*, dont le commanditaire aurait été Gustave Caillebotte (Lettre de Degas à Bracquemond du 13 mai 1879). On ne sait comment cette idée de revue est venue aux Impressionnistes ni quelle fut la part de Bracquemond, de Caillebotte, de Degas, de Mary Cassatt et de Pissarro, qui, tous, participèrent au projet, ainsi que Desboutin et Raffaëlli. Pour le 1ᵉʳ numéro, Degas avait prévu cette planche, Mary Cassatt, la *Femme à l'éventail* (notre nº 288) et Pissarro, *Paysage sous bois à l'Hermitage* (notre nº 235). Le projet reçut un début d'exécution, assez avancé, puisque les planches allèrent jusque chez l'imprimeur Salmon, en 1879 et au début de 1880. Degas écrit à Pissarro : « *Le Salmon se fâche, et veut toutes les planches pour mardi... Pourriez-vous venir mardi matin et apporter votre planche ou aller directement chez Salmon donner un bon-à-tirer* ». Malheureusement, l'affaire, on ne sait pourquoi, en resta là et le projet devint vite un souvenir : en 1903, Degas rappelle à Bracquemond : « *Vous avez oublié la revue mensuelle que nous voulions autrefois lancer* ».

Il existait à la Vente Degas quatre dessins préparatoires à cette estampe, qui compte, en outre six états. On comprend ce que Degas veut dire lorsqu'il prétend que rien n'est moins « spontané » que son art ! Le Cabinet des dessins du Louvre (coll. Camondo) possède un 6ᵉ état sur japon de cette estampe. Il existe en plus un pastel du même sujet (expo. Degas, Musée du Louvre, 1969, nº 172).

192   pointe-sèche

194   monotype

194a

Pastel sur monotype

Degas avait fait en 1877 la connaissance de Mary Cassatt, qui, éblouie par ses peintures, était venue le voir dans son atelier. C'est lui qui l'invita à exposer avec les impressionnistes. Elle accepta en 1879.

197-198-199-200

AU LOUVRE, LA PEINTURE, MARY CASSATT, *eau-forte, aquatinte, pointe-sèche*, v. 1879-80 (Adh. 54, L.D. 29, M. 31), 1er état. — B.N., Estampes, anc. coll. Rouart; 2e état. — B.N., Estampes, anc. coll. Rouart; 10e état. — B.N., Estampes, anc. coll. Rouart; 20e et dernier état. — B.I.A.A., anc. coll. Doucet.

Cette gravure est célèbre pour ses nombreux états (une vingtaine), caractéristiques de la façon de travailler de Degas qui surchargeait sa planche de travaux, parfois jusqu'à la rendre inutilisable, et tirait peu d'épreuves, mais très variées, considérant la gravure non pas comme un moyen de reproduction, mais comme une manière de dessiner. Les différences d'état à état, qui, depuis, ont été valorisées par les collectionneurs, sont en fait souvent minimes et entre le 11e et le 20e état, Degas n'a changé que des détails, l'ordre d'ailleurs établi par Delteil pour son catalogue est, à ce degré de complexité forcément assez arbitraire. Il serait probablement impossible, et d'ailleurs assez vain, de retrouver la démarche, exacte des opérations dans leur détail. Parfois au contraire, il efface, change la tonalité générale, abaisse ou remonte les valeurs, change la composition. Delteil a catalogué 20 états, mais, à ce niveau de précision, on peut dire que presque toutes les épreuves tirées par Degas sont différentes, et que c'est là, comme nous l'expliquions plus haut, ce qu'il entendait par « estampe originale ». Il existe trois pastels semblables à cette gravure, v. 1881, dans des collections américaines (L. 581, 582, 583).

201-202

FEMME NUE DEBOUT A SA TOILETTE, TOURNÉE A GAUCHE, *lithographie*, v. 1885-1890 (L.D. 65, Adh. 63), 1er état, épreuve unique. — B.I.A.A., anc. coll. Doucet; 3e état. — B.N., Estampes.

A partir de 1891, un thème nouveau apparaît dans les tableaux et pastels de Degas, qui va susciter un ensemble considérable d'études, dont une suite lithographique qui termine son œuvre d'estampes. Plus que jamais, avec les *Femmes à leur toilette*, Degas sera un expérimentateur étonnant, cherchant, comme aucun autre, à restituer ce qu'il voit, par des procédés graphiques inédits. Les estampes de cette série (L.D. 60 à 67, Adh. 62 à 68) sont pour la plupart des épreuves uniques, en états souvent multiples, où il est difficile de distinguer les supports et même les outils tant elles sont chargées de travaux, remaniées, effacées, refaites, etc. Un catalogue définitif de cette série est certainement utopique, et là réside bien un fait de l'estampe impressionniste que nous avons constaté avec Manet et Pissarro. Seule la planche L.D. 57, Adh. 62, épreuve unique au British Museum, manque dans les collections publiques parisiennes. Les autres y sont bien représentées, souvent en plusieurs états. Le catalogue Kornfeld éclaircit bien le dénombrement des épreuves cataloguées sous les nos L.D. 62 à 65 (Adh. 47, 67, 68, 63). Nous posons plus loin le problème des L.D. 60 et 61, encore plus complexe.

Cette série exceptionnelle de dessins imprimés une seule fois, semble avoir retenu l'attention de Degas et tous ses soins. Imprimeur d'estampes lui-même depuis ses débuts, il est devenu d'une habileté insurpassable, à force de tirer non seulement ses essais les plus audacieux, mais les planches guère moins délicates de son ami Pissarro. Les épreuves sur japon de cette série sont un sommet de la technique de l'estampe tant pour le dessin que pour le tirage, qui rivalise d'intensité et de velouté avec le pigment du pastel, et où les nuances retenues par la pierre (au prix de quelle manipulation?) sont innombrables.

203-204-205

FEMME NUE DEBOUT A SA TOILETTE, TOURNÉE A DROITE, *lithographie*, v. 1890 (L.D. 60 et 61, Adh. 64, 65, 66);
Épreuve de la coll. Viau, achetée à la Vente Degas. — B.N., Estampes (Adh. 65, L.D. 60, 6e état).

197   1er état   198   2e état   199   10e état

197 1er état   198 2e état   199 10e état

Épreuve de la coll. Doucet, B.I.A.A. (Adh. 66, L.D. 61, 2ᵉ état).
Épreuve de la coll. Rouart. — B.N., Estampes (Adh. 66, L.D. 61, 2ᵉ état).

Nous regroupons ces trois épreuves pour tenter d'éclairer un problème qui peut être important et qui reste inextricable dans les catalogues existants.

Ce motif a été traité par Degas dans une série d'épreuves toutes différentes les unes des autres. Delteil les regroupe en 2 planches distinctes L.D. 60 qui comporterait 6 états (chacun à épreuve unique) et L.D. 61 qui en comporterait 2 (également épreuves uniques). Ils correspondent respectivement aux nᵒˢ d'Adhémar 64 et 66. M. Adhémar détache avec raison du 1ᵉʳ groupe, son nᵒ 65 qui est le 6ᵉ état du L.D. 60, car, les dimensions et le motif le prouvent, c'est un dessin totalement différent des cinq autres, complètement refait. En revanche, il semble inclure dans le nᵒ 64 l'épreuve de la coll. Doucet qu'il reproduit sous le nᵒ 64a et qui en fait correspond avec celle de la coll. Rouart, au L.D. 61, 2ᵉ état. Cette reproduction (64a) correspond à la mention de cette épreuve (avec *Essai chez Manzi*) sous son nᵒ 66 et sa mention sous le nᵒ 64 doit être supprimée, car elle fait double emploi avec celle du nᵒ 66. (Quant à l'illustration du nᵒ 66, c'est, par erreur de mise en page, le nᵒ 68 qu'elle reproduit une seconde fois.) Nous proposons donc de distinguer comme suit cette série d'épreuves uniques sur un même thème, dont il est difficile de dire combien de planches elles épuisèrent, puisque Degas reprend chaque fois un parti assez différent :
L.D. 60, Adh. 64 (190×147) :
1ᵉʳ état, Vente Degas 1918, nᵒˢ 140, 150, 151, épreuve avec *Essai chez Manzi*.
2ᵉ état, Vente Degas 1918, nᵒ 152.
3ᵉ état, Vente Degas 1918, nᵒ 153, anc. coll. Guérin.
4ᵉ état, Vente Degas 1918, nᵒ 154, Chicago (reprod. dans Adh. nᵒ 66).
5ᵉ état, Vente Degas 1918, nᵒ 155.
L.D. 60 (209×147), Adh. 65 (205×147) :
6ᵉ état, Vente Degas 1918, nᵒ 157, acheté par Viau, puis, en 1947, par la Bibliothèque nationale (reprod. dans Adh., nᵒ 65).
L.D. 61 (190×145), Adh. 66 (190×180) :
1ᵉʳ état, anc. coll. Guérin.
2ᵉ état, Vente Degas 1918, nᵒ 60, anc. coll. Rouart, exemplaire sur japon avec *Essai chez Manzi*, B.N., Estampes. Vente Beurdeley, 1921, anc. coll. Doucet, avec *Essai chez Manzi*, reprod. dans Adh., nᵒ 64a, B.I.A.A. Vente Degas, 1918, nᵒˢ 158 et 159.

Cette énumération n'est pas un simple exercice de catalogage. Elle nous révèle une entreprise bien étrange dont nous ignorons la raison. Que signifie ce dessin huit fois refait sur au moins trois pierres (ou du moins trois cadrages de dimensions différentes) pour aboutir à un dernier état dont on dénombre (mais est-ce exact ?) 5 épreuves ?

Une mention, sur l'épreuve de la coll. Doucet (est-ce celle de la Vente Degas ?) est notre seul indice : *Essai chez Manzi, Degas*. Or, M. Adhémar note sous son nᵒ 64 à la Vente Manzi (1919) que le nᵒ 128 est un dessin à l'encre grasse sur celluloïd ayant servi pour tirer héliographiquement une contre-épreuve (?) à la presse sur papier humide par Degas. Et Guérin pense que le 6ᵉ état du L.D. 60 (Adh. 65) est le report sur pierre de ce dessin à l'encre grasse sur celluloïd qu'il semble avoir acheté à la Vente Manzi.

Nous ne pouvons aujourd'hui savoir ce que recouvre ce tirage héliographique à la presse à partir d'une contre-épreuve d'un dessin à l'encre sur celluloïd, ni pourquoi ce dessin fut reporté sur pierre. Les termes techniques sont trop vagues, les cuisines d'imprimeur, surtout à cette époque, trop complexes et trop mal connues pour épiloguer sur cette expérience. Ce qui semble certain, c'est que Degas et Manzi ont tenté une opération pour reproduire un dessin. Manzi (1849-1915) était un spécialiste de la reproduction. Il avait travaillé chez Goupil, monté un atelier de photogravure, rue Forest, imprimé les images du *Figaro illustré* de 1893 à 1896, inventé un procédé de « chromotypogravure » et édité un album de dessin de son ami Degas (*Vingt dessins de Degas*, 1861-1896, repr. manuelle de Thornley). Ces relations Manzi-Degas culminèrent en 1892-93.

D'autre part, nous savons que Degas s'était passionné pour la photographie et la photogravure (lettre à Bracquemond du 13 mai 1879, où il raconte sa visite à « *un certain*

Geoffroy, *fameux phototypeur* », et lettre De Nittis citée dans notre introduction à ce chapitre) et était favorable aux reproductions, même photomécaniques, de bonne qualité puisqu'il n'hésita pas à signer les épreuves de reproduction de ses dessins, éditées par Boussod, (chez qui alors travaillait Manzi), (cf. Adhémar, p. XV).

Sans pouvoir être plus précis, il nous semble que les épreuves cataloguées sous les numéros L.D. 60-61 et Adh. 64, 65, 66, sont l'indice d'une entreprise commune de Degas et de Manzi vers 1892, pour reproduire (éditer?) un dessin primitif sur celluloïd par des opérations nouvelles, (transfert? héliographie?). La complexité de ces opérations, prouvée par la multiplicité des essais, explique suffisamment qu'elles n'aient pas abouti. Mais peut-on parler d'échec lorsque cette entreprise nous laisse, en épreuves malheureusement uniques, mais d'une inégalable qualité d'impression, une dizaine de chefs-d'œuvre?

206

LA SORTIE DE BAIN (PETITE PLANCHE), *lithographie*, v. 1890 (L.D. 63, Adh. 67), 1er état. — B.N., Estampes, coll. Curtis.

Le 1er état existe en une douzaine d'exemplaires. La Bibl. de l'Institut d'art et d'archéologie en possède également un; en revanche, nos collections n'ont pas le 2e état ou le décor et la servante ont disparu laissant le motif dans son aspect retravaillé comme avec un chiffon. Le motif est ensuite repris sur une pierre plus grande (L.D. 64, Adh. 68).

Ces lithographies travaillées représentent une prouesse technique, traitées en profondeur, dans la matière même de la pierre (parfois réellement gravée) et de l'encre (utilisée parfois comme pour un monotype). Leur intérêt iconographique, qu'elles partagent avec les nombreux tableaux et monotypes sur ce sujet, n'est pas moindre. C'est ce que le réalisme « naturaliste » a produit de plus convaincant. Comme un photographe de la réalité, Degas a saisi des instantanés. Cette intimité surprise et pas du tout flattée, a choqué, sans doute, plus que la technique évocatrice. C'est le type même du sujet qu'on jugeait vulgaire et qu'on reprochait aux Impressionnistes (beaucoup plus encore que leur style). Ici plus que jamais « *la peinture c'est la vie intime* ». Cette maxime, en ce qui concerne du moins l'estampe, réfléchit mieux l'aspect impressionniste que toutes les théories sur le mélange optique.

207-208

LA SORTIE DE BAIN (GRANDE PLANCHE), *lithographie*, v. 1885-90? (L.D. 64, Adh. 68), 2e état, sur japon. — B.I.A.A., épreuve de Roger Marx, anc. coll. Doucet; 5e état. — B.N., Estampes, anc. coll. Curtis.

Cette planche est la suite de la précédente et comme un nouvel état plus complet, avec cinq états nouveaux au moins. Le 1er se trouve à Hambourg. La Bibliothèque nationale possède deux exemplaires du 5e état. L'intérêt de celui de la coll. Curtis est dans sa mention manuscrite : « *tirée par moi, A. Clot* », apposée par l'imprimeur à la demande de Curtis, il s'agit donc, sans doute, d'un tirage postérieur. Kornfeld distingue 5 états. Le 1er est à Hambourg, le 3e à Chicago, le 4e non localisé. Tous n'existent qu'à 1, 2 ou 3 exemplaires, le 5e existe au moins à 6 exemplaires. Ils sont très différents les uns des autres tantôt (1er et 2e), la pierre est grattée et la femme apparaît comme derrière un voile et le grain est si apparent qu'on dirait une trame, qui n'est pas sans rappeler l'art des divisionnistes, alors bien connu; tantôt (3e), tous les noirs sont montés et l'on retrouve dans le mouvement de la femme, souligné par des traits opulents, l'énergie souple et grasse des lithographies de Delacroix.

Il est difficile de dater précisément cette série, 1884-85. Le sujet apparaît plus tôt dans le monotype, dont la technique est si souvent rappelée ici, mais avec des courbes très différentes. A rapprocher des pastels L. 816-815-814 bis, (v. 1885); 788 (v. 1884); 794 (v. 1884); L. 883, (v. 1886); etc.

91

201

202

204

205

208

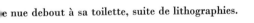
e nue debout à sa toilette, suite de lithographies.

209

TORSE DE FEMME, *monotype*, v. 1885 (Cachin 162, J. 158). — B.N., Estampes.

Ce torse michelangélesque est l'une des meilleures réussites de Degas dans le monotype; ayant véritablement modelé l'encre, comme il l'aurait fait de la terre pour une statue, ayant estompé au chiffon ou avec les doigts les contours du volume, il obtient l'illusion d'un mouvement qui n'est que supporté par la position en spirale du corps du modèle. Comme le rappelle F. Cachin, « *Degas avait conçu d'abord le monotype comme un support à la couleur, et ses scènes de danse et de café-concert exécutées de 1874 à 1878 sont presque toujours des pastels sur monotypes* ». Nous montrons deux des trois monotypes conservés à la Bibliothèque nationale, dont un reprend un thème déjà traité en gravure. Il s'agit surtout de montrer par là combien il n'y a pas de frontière, pour Degas, entre les techniques et que l'on passe du dessin à l'estampe sans solution de continuité.

Pour le reste, les monotypes de Degas (plus de 300) constitueraient l'objet d'une exposition à eux seuls, et nous ne les présentons ici, comme ceux des autres artistes, qu'à titre de référence à cause de leurs rapports avec la gravure dont ils sont, à cette époque, la prolongation logique. Les monotypes de Degas ont d'ailleurs été fort bien étudiés dans deux catalogue par Miss Janis et Françoise Cachin.

210

DANSEUSE SALUANT, *crayon lithographique et monotype*, v. 1878-80 (Janis 6). — Musée du Louvre, Cabinet des dessins, acquis à la 3e Vente Degas 7-9 avril 1919 pour le Musée du Luxembourg.

Nous avons inclus cette pièce dans la série des estampes de Degas pour bien montrer comment pour lui, il n'y a pas de catégories ni de techniques privilégiées. Il passe de l'estampe au dessin par toutes sortes d'intermédiaires qu'il invente, ou sans sa presse. Non seulement il pratique donc le monotype qui est une sorte de « perversion » de l'estampe, mais mieux, il dessine au crayon lithographique, sur un papier. De l'estampe il ne reste plus que l'outil à dessiner. Cette pièce est d'ailleurs d'une technique fort mystérieuse, et en cela, bien dans le goût des Impressionnistes. Il semble que ce soit l'impression d'un monotype dont la 1re est conservée à Boston. Pour E. Janis, « *il ne reste pas assez d'encre du monotype pour le caractériser comme un monotype bien qu'il ait commencé ainsi, à proprement parler* ». A-t-il servi de préparation au monotype ou n'est-ce pas un projet de lithographie? Ni dessin, ni monotype, ni lithographie, cette planche montre que tout est possible au créateur vis-à-vis des catégories dans lesquelles on a coutume d'enfermer les œuvres d'art pour les décrire ou les vendre. C'est l'évanouissement de l'estampe dans le dessin, ce qu'a sans doute cherché Degas.

210

212. — G. Jeanniot et E. Degas, la lisière,   1er état

       2e état

XVII. JEANNIOT

Georges Jeanniot, graveur abondant mais irrégulier ne nous intéresse guère ici qu'en raison de ses rapports avec Degas. C'est ce qui l'a fait connaître. Sa gravure ne semble pas apporter d'élément nouveau essentiel, et tombe souvent dans la médiocrité. L'abondance de son œuvre de graveur, son amitié avec certains Impressionnistes en font cependant un personnage marquant et bien mal connu, qu'il serait peut-être bon de réétudier.

Jeanniot fut apprécié de ses amis impressionnistes. Par exemple, sur le catalogue d'une exposition de peintres-graveurs chez Vollard (15 juin-20 juillet 1896) conservé au Cabinet des estampes, on trouve cette note de la main de Pissarro : « *Catalogue reçu hier soir, ma lettre étant fermée et sur le point d'être jetée à la poste. Je vois plusieurs noms manquant parmi les plus particulièrement signalés et recommandés à M. Vollard, entre autres celui de Jeanniot... J'avais aussi particulièrement insisté pour qu'il aille voir H. Guérard et l'invite* ».

211
Le Boucher, *monotype* annoté *fait d'après nature comme étude de la manière de tuer les bœufs*, en vue d'une illustration de *La Débâcle*. — B.I.A.A.

Jeanniot habitait le château de Dienay dans la Côte-d'Or et était l'ami du critique dijonais Clément-Janin, ce qui vaut aujourd'hui à la Bibl. de l'Institut d'art et d'archéologie où est déposé le fonds Clément-Janin, de conserver une collection sans doute quasi-complète de gravures de Jeanniot, et un épais dossier de lettres, entre autres le récit de la visite de Degas à Jeanniot, pendant laquelle Degas exécuta une trentaine de monotypes. « *Je le vois encore dans son atelier, tirant sur ma presse les monotypes que lui inspiraient ses souvenirs de voyage. Car il a fait devant moi, trente monotypes, délicieux de couleur, de fidélité et extraordinaires de variété. Une fois tirés, il les suspendait à une ficelle qui traversait la longueur de mon atelier par des pinces de blanchisseuse. J'ai encore dans mon meuble à peinture le tampon de drap dont il s'est servi pour mettre la couleur. Quand ce fut terminé, il dit, l'air satisfait, « En voilà pour trente mille francs, Durand-Ruel n'a qu'à bien se tenir* ».

Ce récit montre qu'il ne faut pas surestimer le rôle de Jeanniot par rapport à Degas et à ses monotypes. D'abord il apparaît que Jeanniot ne connaissait pas personnellement Degas avant cette visite, organisée par Bartholomé, et que Jeanniot lui porte beaucoup de respect, d'autant qu'il semble partager ses opinions politiques; ensuite que Jeanniot n'apprit rien à Degas en ce domaine, qui se mit au travail devant Jeanniot à son grand profit. Le monotype de Jeanniot que nous exposons ici laisserait en effet à penser que celui-ci utilisa ce procédé à l'instar de Degas, et après l'avoir vu faire.

212-213
LA LISIÈRE, *aquatinte*, 1re épreuve, annotée, *épreuve faite sous la direction de Degas*; 2e épreuve, annotée, *épreuve terminée*. — B.I.A.A.

Traditionnellement comptée dans les catalogues de l'œuvre de Degas, cette aquatinte est signée par Jeanniot qui avoue l'avoir faite « *sous la direction* » de Degas. Le 2e état, dont l'épreuve de la Bibliothèque de l'Institut d'art et d'archéologie est annotée par Jeanniot « *épreuve terminée* », ne montre pas de différence essentielle avec le premier et donne raison à ceux qui pensent que Degas est le principal responsable de cette œuvre. Elle prouve aussi que, si Degas aida à poser le grain, il ne considéra nullement cette estampe comme son œuvre achevée, si bien qu'on peut dire que cette estampe, qui n'a qu'un intérêt documentaire n'est ni de l'un ni de l'autre.

XVIII. DESBOUTIN ET DE NITTIS

Rendant compte de l'exposition des Indépendants en 1879, Huysmans note d'abord : « *Mieux vaut s'occuper des aquafortistes, et entre tous M. Desboutin* ». On a souvent campé le curieux et multiple personnage de Desboutin ; la gravure n'est qu'un aspect de ses talents, mais le seul, peut-être, qui mérite de rester. Son œuvre gravé entièrement à la pointe sèche (il fit ensuite quelques lithographies) se situe entre 1875 et 1880, lorsque, revenu de Florence où il vivait richement, il dut mener la vie de bohême impécunieux. Son originalité, c'est la pointe sèche, qu'il manie exclusivement, avec une sûreté étonnante. Nous lions son œuvre à celle de De Nittis, moins importante et moins connue, mais assez proche d'esprit et de technique.

Quelques lettres échangées par ces deux artistes et amis (publiées dans le livre sur De Nittis par M. Pittaluga et M. Piceni) nous apportent des nouveaux documents pour étayer ce rapprochement, en particulier lorsque Desboutin écrit à De Nittis (13 avril 1875) : « *Remettons donc, mon bon De Nittis, à votre prochain retour le plaisir de reprendre nos séances chez Cadart* ».

Mais De Nittis limita vraisemblablement aux premières expériences (donc avant 1875) ses essais de graveur alors que Desboutin y trouva sa meilleure réputation, comme il le lui explique après la deuxième exposition impressionniste (20 avril 1876) : « *Notre exposition par un groupe d'artistes [...] a produit un assez joli dividende pour que, tous frais payés, chacun de nous rentre encore dans sa mise, même avec un petit bénéfice. La presse m'a été pour mon compte, fort bienveillante dans cette occasion, et pour mes pointes sèches, ce mode de publicité a plus servi pour mon humble nom que dix années d'exposition dans les chambranles des couloirs du Salon.* » Ainsi continua-t-il dans cette voie où il fut, près du public, plus heureux que ses confrères : « *Durand-Ruel a fait ici une exposition de noir et blanc à l'imitation de celle de Londres. Il va sans dire que j'ai réuni là toute la collection de mes pointes sèches* » (Lettre à De Nittis, 17 juillet 1876).

MARCELLIN DESBOUTIN

214
PORTRAIT DE DEGAS DE PROFIL, *pointe sèche*, 1876 (C.-J. 61). — B.N., Estampes, anc. coll. Moreau-Nélaton, épreuve annotée : *Portrait de Degas d'après nature.*

215
PORTRAIT DE DEGAS DEBOUT, *pointe sèche*, 1876 (C.-J. 62), premier état sur japon. — B.N., Estampes, anc. coll. Moreau-Nélaton.

Desboutin, pilier du café Guerbois et assidu du groupe impressionniste « historique », reste surtout un portraitiste talentueux, qui ne s'embarrasse pas de procédés compliqués, mais sait, en quelques coups de pointe sèche, camper un personnage vivant, selon la doctrine du groupe, et non point statufié. *Degas* est sa meilleure réussite. C'est aussi avec lui, apparemment, que l'on trouve le plus d'affinité; tous deux ont conservé le souci du dessin élégant, même dans les sujets les plus triviaux. Desboutin nous a laissé une véritable galerie des portraits de l'impressionnisme : Renoir, B. Morisot, Manet, Raffaëlli, Guérard, Burty, Duranty, Zola, etc. Ce choix déjà est significatif. Comme pour ses amis, le portrait est fait par « empathie » avec le sujet, il ne peut donc s'agir que de portraits d'amis et de famille. Là encore, la gravure n'est plus un moyen de reproduire une œuvre mondaine, mais une simple dérivation du dessin.

216
L'HOMME A LA PIPE, *pointe sèche*, 1888 (C.-J. 71), 2e état. — B.N., Estampes, anc. coll. Moreau-Nélaton.

217-218
L'HOMME AU GRAND CHAPEAU, *pointe sèche*, avant 1889 (C.-J. 73); le même sujet, *lithographie*, 1894 (C.-J. 69). — B.N., Estampes, anc. coll. Moreau-Nélaton.

Ce sont des autoportraits, et deux des rares grandes planches que Desboutin ait exécutées. Une pointe sèche de cette dimension est exceptionnelle. Dans *Au pays des souvenirs* (1887), Armand Sylvestre parle de cet « *admirable portrait à la pointe-sèche que Desboutin a fait de lui-même, un portrait grandeur nature, ce que l'art français a peut-être produit de plus merveilleux dans la gravure...* » (p. 164-5.)

219-220-221
PORTRAIT DE L'IMPRIMEUR LEROY, *pointe sèche*, trois états différents, février 1875 (C.-J. 165). — B.N., Estampes, anc. coll. Moreau-Nélaton.

C'était, selon le sous-titre même donné par Desboutin, « *Le jeune homme qui tire chez Cadart les épreuves d'essai* ». Desboutin dut se retrouver souvent dans son atelier, friand qu'il était, comme tous les impressionnistes d'expériences nouvelles. Les trois états de cette pointe sèche le prouvent, mais aussi de nombreuses expériences techniques. Il collabora en particulier avec Lepic, l'autre graveur du groupe impressionniste; on possède d'eux des œuvres faites en commun (planche avec divers sujets, Cl. Janin n° 54) et, selon Clément-Janin, un monotype « *au caractère goguenard et caricatural* ». Il faut noter aussi que Desboutin fut un adepte de l'héliogravure. Peut-être entraîné par des recherches photomécaniques de Degas, peut-être aussi par commodité, il travailla souvent sur une plaque déjà photogravée, en la reprenant à la pointe sèche, un peu comme les burinistes du XVIIIe siècle travaillaient sur des préparations à l'eau-forte. Cette méthode était d'avant-garde, à une époque

223

où le domaine de l'estampe d'art se constituait contre la photographie et rejoint les préoccupations de Degas dont Desboutin fait état dans la lettre à De Nittis (cf. Introduction sur Degas).

DE NITTIS

On sait que De Nittis fut « récupéré » pour les expositions impressionnistes par Degas, parce que son art brillant passait pour être d'avant-garde tout en plaisant au grand public. Dans une lettre du 5 avril 1874, il annonce à un ami que Degas est venu lui proposer d'entrer dans une société *di opposizione realista*. C'était une sorte d'alibi, et il ne serait certes pas indiscutable d'admettre De Nittis parmi les purs impressionnistes malgré sa participation à l'exposition, son amitié pour Manet et sa sympathie pour le groupe. Ses quelques gravures méritent quand même d'être mieux connues; on y retrouve l'aisance parfois specieuse du peintre italien. Outre qu'elles sont ignorées des catalogues, elles ont le mérite d'être liées, techniquement du moins, à l'art de Desboutin, à qui elles doivent apparemment beaucoup. De Nittis, outre ces essais, entre 1873 et 1875, ne semble pas avoir persévéré dans cette technique, ce qui fortifie l'hypothèse d'œuvres occasionnelles faites sous l'influence et la direction d'un praticien.

222-223-224
FEMME DE PROFIL, *pointe sèche*, ni signée ni datée, v. 1873;
FEMME ASSISE, *pointe sèche* ni signée ni datée, v. 1873;
JEUNE FEMME SUR UN BANC, *pointe sèche*, signée dans la planche, v. 1873. — B.N., Estampes.

L'œuvre de graveur de De Nittis est tout à fait restreint et totalement méconnu, mais non sans intérêt. Le Cabinet des estampes a regroupé sous son nom une douzaine de planches dont une seule est signée *De Nittis sc. et pinx.* Une autre *(Vue de Londres)* fut tirée pour la *Gazette des Beaux-Arts;* cinq sont sans doute le fruit d'une collaboration avec Desboutin *(Portrait de Hirsch,* deux *Portraits de Degas, Femme étendue).* Cinq autres enfin semblent les plus personnelles et représentent toutes des femmes. Deux sont signées dans la planche et l'une d'elles datée *73.* Une 3e est signée sur l'épreuve. Les deux autres, nous les présentons ici quoiqu'elles ne portent aucune indication et précisément parce que leur mystère reste entier.

DESBOUTIN OU DE NITTIS

225-226
PORTRAIT DE DEGAS, *deux pointes sèches*, 1875. — B.N., Estampes, anc. coll. Moreau-Nélaton.

227
FEMME ÉTENDUE, *pointe sèche*, 1874 (C.-J. 104). — B.N., Estampes, anc. coll. Rouart.

Deux traditions existent pour ces trois œuvres : Degas attribuait *La Femme étendue* à De Nittis; Burty la donnait à Desboutin et Clément-Janin l'a reprise dans son catalogue Desboutin, alors qu'elles sont au Cabinet des estampes classées dans l'œuvre de De Nittis. De Nittis qui a fort peu gravé, fut-il assez habile à la pointe sèche pour réussir ces œuvres? Cependant la tradition de Degas semble plus sûre que celle de Burty. La présence du portrait de Degas, visiblement pendant à celui de Desboutin, peut faire penser à un exercice

214   Degas par Desboutin   226   Degas par De Nittis et Desboutin

227

parallèle, voire commun des deux artistes. La mention manuscrite *Le peintre de Gas, 20 fév. 75, par Desboutin* est peut-être de Burty. On sait que Degas, Hirsch, Desboutin s'étaient promis de faire chacun leur portrait. Si l'on doit admettre que le travail fut fait en commun, il est vraisemblable de penser que De Nittis fit le dessin (ce qui explique le souvenir de Degas qui a vu De Nittis faire son portrait) et Desboutin la gravure (ce qui explique celui de Burty, qui ne connaissait que le résultat et non sa genèse), ce qui rend compte aussi du style, de sa précision, et de sa parenté avec les autres.

228

229

230

231

Vicomte Lepic, exemple d'*eau-forte mobile* : la même planche tirée avec quatre encrages différents.

XIX. LEPIC

Le vicomte Lepic n'est pas un grand artiste. Il y a cependant de ces artistes mineurs qui, par leur ingénuité même, et parce qu'ils poussent au système sinon à la caricature, les procédés qui ne sont que suggérés par les autres, deviennent le symbole d'un style. Ainsi, s'il fallait montrer ce qu'est, en son principe l'estampe impressionniste, peut-être faudrait-il choisir une œuvre de Lepic. Participant de la première heure des expositions impressionnistes, Lepic crut avoir découvert par les effets d'encrage, très caractéristiques de l'estampe de cette époque, un procédé nouveau, qui n'était en fait qu'un monotype un peu hypocrite (il reste quelques traits gravés; nous avons vu Appian déjà expérimenter ce mélange). Lancé par Jadin, puis par Cadart, Lepic perfectionna son procédé qu'il baptise *eau-forte mobile*, pendant seize ans de 1860 à 1876, date à laquelle il publia une lettre d'un ton de prophète, libérant la gravure de ses erreurs, renouant avec Rembrandt (qui eût été bien effrayé des sauces de Lepic !), tout cela grâce à l'encre d'imprimerie qu'il étale largement sur la plaque, obtenant ainsi des épreuves toutes différentes les unes des autres. « *Quel est en définitive, le secret de l'eau-forte telle que je l'obtiens ? C'est l'emploi de l'encre et du chiffon ; avec ces deux armes on peut tout obtenir d'une plaque... Un paysage des bords de l'Escaut a été transformé de 85 manières différentes... Je m'avoue l'inventeur et l'apôtre d'un genre nouveau* ».
　　Ce qu'il faut retenir de tout cela, c'est que la gravure n'existe plus « *Je ferai de la gravure comme un peintre et non comme un graveur* », submergée, fécondée éclatée par les procédés de tous ordres, tous destinés à rendre le motif de façon inattendue, spontanée : « *J'organisai un outillage à moi, j'osai me servir d'acide pur, je fis claquer mes vernis, le sable, le grès, tout me fut bon pour arriver à mes noirs* ». Cette phrase pourrait être de Degas ou de Bracquemond. La seule différence avec Lepic, c'est qu'ils en ont fait beaucoup plus, en en disant bien moins. Mais le principe de chercher par la gravure des procédés puissants qui possèdent le motif et non le détourent, qui se fondent avec le dessin, et non le dessinent, est le même; l'encrage, le monotype, d'abord mais aussi l'aquatinte, le vernis mou, la manière noire sont autant d'outils qui permettent de mieux identifier le motif représenté avec la matière qui le représente, ce qui fut l'obsession des Impressionnistes.

228-229-230-231

Le Lac de Nemi, *eau-forte mobile*, quatre épreuves différentes, 1870. — B.N., Estampes.

M. Jean Ducros, auteur d'un article sur Lepic dans *L'Art et la mer*, (revue trimestrielle des peintres officiels de la Marine, nº 3, 15 octobre 1974) — Lepic fut le seul peintre de la marine à participer à l'exposition des Impressionnistes en 1874 — signale un cinquième tirage de cette estampe qu'il possède. Dans le supplément annuel de la revue *L'Art et la mer* (1974), M. Ducros vient de publier un essai de catalogue des eaux-fortes de Lepic.

XX. PISSARRO

L'œuvre graphique de Pissarro est le moins célèbre et le plus mal connu parmi ceux des premiers rôles de l'Impressionnisme. C'est que Pissarro, comme Degas, ne chercha guère à diffuser ses estampes, qui n'apparurent en bloc que dans les ventes de son atelier en 1928 et 1929. Exécutées en dehors de tout souci de vente, elles furent tirées à un petit nombre d'exemplaires, et c'est ce qui, paradoxalement, les fait rechercher aujourd'hui des collectionneurs, leur conférant une valeur à laquelle Pissarro était loin de songer. En 1891 encore, ayant déjà fait l'essentiel de son œuvre, il écrit à Lucien : « *Je crois que tu auras bien du mal à faire comprendre aux gens que je ne suis pas graveur, que ce sont simplement des impressions gravées* », ou encore : « *Heureusement que je ne les fait que par passe-temps* ». Pratiquant ainsi l'estampe, il peut user de quelque désinvolture avec l'orthodoxie technique, et c'est précisément cette désinvolture qui en fait la réussite. « *Impressions gravées* » donc, les estampes de Pissarro sont au cœur de l'impressionnisme. « *Une gravure de sensation... c'est là ce que je tâche de faire quand je sens* », écrit-il encore.

La parenté de son œuvre avec celle de Degas est davantage dans l'esprit que dans la forme. Leur œuvre est en partie commune, en tout cas parallèle, puisqu'ils passèrent autour de 1880 des journées ensemble penchés sur les bacs d'acide que Degas avait chez lui ou tirant ensemble leurs épreuves. L'un et l'autre cherchent à réinventer l'art de l'estampe et violent à qui mieux mieux les traditions, inventent des procédés, surchargent leurs planches de travaux, gravent sur le motif, mélangent gravure et monotype, rehaussent les épreuves d'aquarelle ou de pastel, et entassent ces expériences dans des cartons, les offrant parfois à quelques amis.

Seul parmi les critiques, son admirateur Félix Fénéon sut apprécier en spécialiste cette technique complètement nouvelle et, au milieu du silence de ses confrères, sa longue explication, minutieuse, pour la 7e exposition de la *Revue indépendante*, en janvier 1888, n'en prend que plus de valeur :

« *M. Camille Pissarro de préférence à la plaque de cuivre se sert de la plaque de zinc, qui n'a pas la morne neutralité du cuivre : elle produit à l'impression une sorte de sablage que M. Pissarro utilise, et, si elle ne peut fournir qu'un nombre fort restreint de bonnes épreuves, du moins sont-elles plus onctueuses. La différence des résultats est bien sensible, si l'on compare la Rue de l'Épicerie (Rouen), qui est un cuivre, et la Rue Malpalue (Rouen), qui est un zinc.— La technique de M. Pissarro est assez complexe et présente quelques particularités : même pour le premier travail, il couvre sa plaque, non de « vernis en boule », mais de ce « petit vernis » que les aquafortistes de profession n'emploient que dans le travail de retouche comme couverture des morceaux terminés. Son dessin tracé dans le petit vernis, il laisse la pointe, et c'est avec des tampons de papier à l'émeri qu'il dénude le métal (L'Ile Lacroix), ou, plus rarement, avec le brutal pinceau à fils de fer (les confins du pré dans le Paysage sous la pluie). Sa planche commencée en eau-forte, il la grainera par places au moyen de la résine en poudre pour avoir des parties à la manière noire (ses Vaches), ou au moyen de la colophane ou de la résine dissoute dans l'éther ou l'alcool pour obtenir des parties d'aqua-teinte. Le Paysage à Osny avec église est une aqua-teinte parachevée à la pointe-sèche. Le Pont de pierre (Rouen) commencé en vernis mou est terminé à l'émeri. Le Paysage sous la pluie est une manière noire et aqua-teinte. Les points qui criblent (tels dessins japonais offrent cette criblure) le Paysage à Pontoise sont piquetés à la pointe sèche. »* On comprend, devant des explications aussi précises, que celui qui les a données ait été à même de goûter toute la nouveauté et l'originalité de ces gravures, et de les qualifier, à l'occasion d'une autre exposition chez Deman, en 1889, de « *merveilles de valeurs observées* ».

La Bibliothèque nationale possède un magnifique ensemble d'épreuves d'état, car Pissarro tenait à offrir au Musée du Luxembourg une épreuve de chacune de ses gravures. Comme ensuite le Musée d'art moderne, le Musée du Luxembourg reversait périodiquement son fonds de gravures au Cabinet des estampes. Le reste a été donné par ses fils, en particulier les deux séries qui furent retirées en 1923 et en 1930, à quoi il faut ajouter une trentaine de cuivres conservés aujourd'hui au Cabinet des estampes. Parmi ces planches, l'une d'elles, dont on ne connaît pas de tirage ancien, et qui n'a pas été encore répertoriée, est présentée ici. De même, ses bois et ses monotypes n'ont pas encore fait l'objet de catalogues systématiques. Nous avons essayé d'en donner un aperçu. Les bois, ayant été gravés par Lucien Pissarro qui résidait en Angleterre, sont en plus grand nombre au British Museum. Outre la série des *Travaux des champs*, dont nous présentons deux exemples, il faut en dénombrer une dizaine, dont le dessin a été fait soit directement sur le bois par Camille, soit dessinés expressément en fonction de la gravure. Quant aux monotypes, ils sont encore mal connus, sauf ceux présentés par Barbara Shapiro dans la récente exposition de Boston (1973). Groupant nos propres recherches avec celles qu'elle a pu mener auprès des collections américaines, nous pouvons publier un premier catalogue (*Nouvelles de l'estampe*) qui en dénombre près d'une trentaine. La plupart sont à

233

Dans les champs à Ennery

l'étranger, beaucoup non localisés, mais un collectionneur parisien a la chance de posséder l'un des plus intéressants, celui où les essais de couleurs ont été menés le plus loin, que nous pouvons voir ici.

L'œuvre de Pissarro, longtemps négligé, fait aujourd'hui l'objet de plusieurs recherches. Nous avons pu profiter des lettres encores inédites dont Mme Bailly-Herzberg prépare l'édition, et des collections de descendants de Pissarro que nous tenons à remercier ici.

232

LA NÉGRESSE, *eau-forte*, 1867 (L.D. 6). — Coll. particulière, Paris.

On ignore dans quelles circonstances Pissarro exécuta ses premières gravures entre 1863 et 1873, date à laquelle il travailla chez le docteur Gachet (cf. « *Le groupe d'Auvers* »). Il n'en existe que 6, chacune étant connue en un seul ou en de rarissimes exemplaires, comme cette *Négresse*.

233

DANS LES CHAMPS A ENNERY, *pointe sèche*, 1875 (L.D. 14). — B.N., Estampes, anc. coll. Porcabeuf.

Après les essais exécutés chez le docteur Gachet en 1873-74, c'est la première planche par laquelle Pissarro semble entreprendre un œuvre de graveur vraiment personnel et original. C'est la seule planche de 1875. Par la délicatesse du travail, et sa technique très nouvelle de pointe sèche à peine effleurée par des outils non traditionnels, elle prépare la série d'une vingtaine de planches très impressionnistes que Pissarro exécuta en 1879-1880 que nous présentons ensuite.

Delteil ne signale que deux ou trois épreuves originales de cette pièce. L'épreuve de la Bibliothèque nationale semble d'un état antérieur à celui reproduit par Delteil, qui est l'épreuve de la Bibliothèque d'art et d'archéologie, signée et annotée (mais pas de la main de l'artiste) : *2e épreuve*. Nous en connaissons au moins trois épreuves : celle présentée ici, celle de la Bibliothèque d'art et celle de la New York Public Library, puisque Pissarro retira cette planche pour Samuel Avery et annota l'épreuve : *1875, C. Pissarro, 1re épreuve*.

234

MARCHANDE DE MARRONS, *pointe sèche*, 1878 (L.D. 15), épreuve signée et annotée par l'artiste : *no 3, Foire de la Saint-Martin, marchande de marrons*. — B.N., Estampes, anc. coll. du Musée du Luxembourg.

Avec cette planche commence la série de gravures exécutées en collaboration avec Degas, et qui forme dans l'œuvre de Pissarro un noyau homogène, certainement l'ensemble le plus typiquement impressionniste. Ce sont en général des paysages traités par des moyens très peu orthodoxes, mais souvent peuplés de paysans au travail, dans des positions et des attitudes dont le réalisme choqua longtemps. Pissarro fréquentait les marchés de campagne et les foires, comme Degas les coulisses de l'Opéra, à la recherche de l'instantané et du motif ou le modèle se laisse surprendre dans une pose parfois peu gracieuse, mais sincère. Pissarro utilise ici sa « *manière grise* » qui consiste à travailler la planche directement,

235

Paysage sous bois à l'Hermitage

comme pour la pointe sèche, mais avec différents outils pour la rayer et obtenir des nuances nouvelles dans les gris, pinceau métallique ou papier à l'émeri.

Delteil signale trois épreuves d'essais et sept après aciérage. Il en existe au moins quatre : celui exposé et ceux de Boston, du Metropolitan Museum et de la collection Rosenwald. Cette dernière est d'une particulière importance, puisqu'elle porte l'annotation « *épreuve tirée chez Degas* », et porte le timbre de l'atelier Degas.

Un deuxième état existe, repris en 1896, qui n'est représenté dans nos collections que par un tirage posthume de 1923 (épreuve originale dans la collection Rosenwald, n° 2, 2e série). Il existe aussi une détrempe inversée, du même motif (L.R. n° 1348).

235

PAYSAGE SOUS BOIS A L'HERMITAGE (PONTOISE), *aquatinte et pointe sèche*, 1879 (L.D. 16), 6e (dernier) état. — B.N., Estampes, anc. coll. du Musée du Luxembourg.

L'une des plus belles estampes impressionnistes de Pissarro, celle qu'il semble avoir le plus travaillée — six états au moins, très différents les uns des autres. — C'est l'estampe qu'il destinait au premier numéro de *Le Jour et la Nuit*, le journal qu'essayaient de lancer Degas et Bracquemond. Aussi cette planche fut-elle tirée à 50 chez Salmon, qui devait imprimer les gravures de cette publication. Degas, dans sa correspondance (p. 50), admoneste Pissarro de terminer sa planche (cf. nos n°s 195-196). Après le *Portrait de Cézanne*, de 1874, c'est la première fois que Pissarro envisage d'éditer une estampe. C'est sans doute ce souci qui l'amène à parfaire sa planche et à choisir un motif particulièrement difficile, capable de mettre en valeur la souplesse des techniques qu'il emploie. Il en fut sans doute satisfait, puisque non seulement il fit tirer des exemplaires sur japon, fait très inhabituel chez lui, mais encore qu'il l'exposa, en quatre états différents, à la 5e exposition des Impressionnistes (1880), puis à nouveau en 1889 et en 1890 chez Durand-Ruel, ce qui le consola peut-être de n'avoir jamais vu paraître le journal pour lequel elle avait été prévue.

Pissarro avait déjà traité deux fois ce motif en 1867 selon le catalogue de Ludovic-Rodo (n°s 52 et 56), mais la gravure semble plutôt issue d'un tableau de 1878 (aujourd'hui coll. André Kostelanetz). La Bibliothèque nationale possède le cuivre de cette estampe, mais seulement le dernier état du tirage. La suite complète des états se trouve dans les collections américaines : 1er à Boston, et à Washington (Library of Congress), 2e à Minneapolis, 3e à Philadelphie, 4e à Boston, 5e à Harvard (Fogg Art Museum). Ils ont été exposés à Boston en 1973 et étudiés et reproduits dans un article de Barbara Shapiro : *Four intaglio prints by Camille Pissarro*, dans *Boston Museum Bulletin*, vol. LXIX, 1971, n° 357, p. 131-141.

236

SOLEIL COUCHANT, *aquatinte et pointe sèche*, 1879 (L.D. 22), tirage bistre annoté par l'artiste : *ép. d'art. extra.* — B.N., Estampes, anc. coll. du Musée du Luxembourg.

En 1879, Pissarro exécuta trois planches qui sont, à notre avis l'archétype de l'estampe impressionniste : *Soleil couchant, Crépuscule avec meules* et *Effet de pluie*. À partir de là son répertoire technique est forgé. Il utilise l'aquatinte pour dessiner « dans la masse », c'est-à-dire non pas pour colorer un volume, mais bien pour le modeler, de façon assez brute, et il donne les nuances à la pointe sèche, soit par des traits imperceptibles, soit, plus généralement par des grattages au papier à l'émeri.

Il semble n'exister qu'un seul exemplaire des quatre premiers états, sauf le 2e qui existe en deux (l'exemplaire de l'anc. coll. Pollag est annoté n° 2, 2e état) avant le tirage à une dizaine d'épreuves, sans doute chez Degas. Envoyant un lot de 42 eaux-fortes à son fils Lucien le 1er mars 1891, il lui écrit à propos de *Soleil Couchant* : « *Tu sais que ces épreuves sont rares, je n'ai que 8 épreuves, et encore elles ne sont pas bien belles, c'est une planche difficile à tirer* ». L'annotation sur l'épreuve qu'il destinait au Musée du Luxembourg, le n° 8, ici présentée, prouve qu'il était content de ce « tirage difficile ».

239

Effet de pluie

237-238

CRÉPUSCULE AVEC MEULES, *aquatinte*, 1879 (L.D. 23), deux épreuves d'artistes, l'une en noir l'autre en brun. — B.N., Estampes, anc. coll. du Musée du Luxembourg.

Traitée dans le même esprit que la précédente, cette estampe est, de plus, connue en divers tirages sur des papiers de couleurs à travers lesquels Pissarro semble avoir cherché la meilleure luminosité. Avant le retirage à 50 en 1920, on ne connaît que fort peu d'épreuves originales. Certaines, sans doute les premières, furent tirées chez Degas. La Bibliothèque nationale possède ainsi le n° 2 annotée *impr. par Degas*, et la Galerie nationale d'Ottawa vient d'acquérir une autre épreuve annotée *épr. d'artiste, impr. par Degas*. Puis il y eut un tirage à 15 exécuté par Salmon (épr. de l'anc. coll. Pollag annotée *n° 3/15, impr. par Salmon*). Pissarro semble donc avoir été satisfait du résultat puisque, contrairement à son habitude, il fit faire un tirage commercial. Le principal intérêt réside dans les tirages d'essais en diverses couleurs. Selon J. Cailac, « *Lucien Pissarro en possède un en Véronèse, un autre en bleu, un troisième en crimson lake; Ludovic-Rodo a une épreuve brun rouge avec* impr. chez Degas ». Outre l'épreuve n° 2, la Bibliothèque nationale possède l'épreuve n° 8 annotée *impr. chez Degas, brun Van Dyck*. Dans la vente Degas, il y avait deux très belles épreuves (n° 303), et dans la vente Guérin (9 décembre 1922), une étude en sens inverse pour cette gravure, de 8 × 14,5 cm (n° 154).

239

EFFET DE PLUIE, *aquatinte et vernis mou*, 1879 (L.D. 24), 6e (dernier) état, épreuve annotée *n° 4, épreuve d'artiste effet de pluie*. — B.N., Estampes, anc. coll. du Musée du Luxembourg.

Même série que les deux précédentes, écho des expériences passionnées auxquelles se livraient Degas et Pissarro. Leur collaboration technique explique la complexité des recherches, leur originalité, leur sincérité aussi, car ces recherches étaient menées en dehors de tout souci de vendre. Une très intéressante épreuve du 2e état est passée en vente chez Boerner (catalogue 1973, n° 113, reproduit) avec en annotations, à gauche : *Imprimé par E. Degas.* à droite *aquatinte coulée par Pizarro, 2e état reprise au pinceau métallique sur vernis mou*. Nous apprenons ainsi comment Pissarro a réussi à rendre son effet de pluie, non pas, comme on pourrait le croire, en grattant simplement sa plaque (qui était de zinc) avec du papier de verre mais par un procédé plus sophistiqué en dessinant au pinceau métallique sur un verni mou et en faisant mordre ensuite comme une eau-forte. Degas, là encore, en avait gardé dans son atelier de « *très belles épreuves* (vente Degas, n° 307). Le 6e état n'a été tiré qu'à une dizaine « d'épreuves d'artistes », parmi lesquels le n° 4, tiré en bistre, ici présenté.

240-241-242

PAYSAN, LE PÈRE MELON, *aquatinte et pointe sèche*, 1879 (L.D. 25), trois épreuves. — B.N., Estampes, anc. coll. du Musée du Luxembourg et Porcabeuf.

Nous pouvons suivre, avec ces trois épreuves d'une planche de la même série que les précédentes, un peu du travail de recherche de l'artiste, et les comparer au retirage posthume qui en a été fait en 1923.

La Bibliothèque nationale possède d'abord une épreuve annotée *n° 1 épreuve d'artiste, Paysan père Melon, aquatinte sur cuivre* (anc. coll. du Musée du Luxembourg), et une autre annotée *3e état n° 1, Paysan père Melon aquatinte sur cuivre*. Il existe une autre épreuve de cet état (Vente Pollag, n° 2177). On connaît aussi un 4e état (Vente Leicester Gallery, mars-avril 1973) et quatre « *épreuves définitives* » qui se trouvaient chez Degas. En 1891, Pissarro a la surprise de retrouver ses planches chez Degas, qui les avait conservées et oubliées. Il les récupéra. Elles sont aujourd'hui, hélas, détruites. Le catalogue de Ludovic-

243

La Femme sur la route

Rodo signale une peinture du même sujet (n° 498) à la même date, mais surtout une épreuve de cette estampe rehaussée au pastel, preuve que Pissarro se livrait alors aux recherches de couleurs sur l'estampe, sans trouver d'autres solutions que le tirage mono-chrome teinté, ou sur papier teinté (cf. numéros précédents) et le rehaut à la main.

243
LA FEMME SUR LA ROUTE, *aquatinte*, 1879 (L.D. 18), 4e (dernier) état. — B.N., Estampes.

Parmi les premières expériences de Pissarro celle-ci est la plus étonnante, avec un ciel grossièrement lavé à l'aquatinte et des masses obtenues par le seul effet du grain. Dans sa brutalité, sa spontanéité, elle révèle bien le désir de Pissarro de ne pas se laisser entraver par la technique assez artificielle de la gravure pour rendre son « impression ». Cette planche aurait pu être faite sur le motif, tant elle veut rendre une vision fugitive par des moyens presque sauvages. C'est une façon tout-à-fait nouvelle de considérer la gravure, jusqu'alors réservée, croyait-on, au lent et patient travail de parfaits et orthodoxes techniciens.
    Les épreuves originales sont rarissimes, Pissarro a peut-être considéré cette planche comme inachevée ou ratée. L'épreuve ici présentée est vraisemblablement un retirage.

244-245
LA SENTE DES POUILLEUX A PONTOISE, grande planche, *aquatinte et pointe sèche*, 1880 (L.D. 32), deux épreuves : annotée *n° 2 épreuve d'artiste, La Sente des Pouilleux à Pontoise (zinc), 1re série pointe sèche* et une autre annotée : *1er état n° 6, 2e série*. — B.N., Estampes, anc. coll. du Musée du Luxembourg.

En 1883, Duret décide Pissarro a envisager une exposition d'eaux-fortes en Angleterre : « *J'ai fait la révision de ce que j'ai de prêt, à part trois ou quatre choses. Ce n'est pas assez pour engager la chose. Je voudrais me mettre à l'œuvre; aussitôt que j'aurai les moyens d'avoir quelques cuivres, je commencerai une série de pointes sèches faites sur nature. Certains coins de Pontoise et d'Osny sont à faire* » (lettre à Lucien du 29 mars 1883). Est-ce cette série qui commence avec la grande planche de la *Sente des Pouilleux* que Delteil date de 1880?
    La deuxième planche du même motif est datée par Delteil de 1883, mais l'épreuve de la collection Avery (New York Public Library) est datée par l'artiste de 1882. Nous ignorons aussi à quoi correspond cette « *2e série* » mentionnée par l'artiste sur une des deux épreuves présentées. Elle semble avoir été tirée à 30, et ce pourrait être un tirage en vue de la vente, sans changement d'état. A cette époque en effet, après avoir expérimenté le métier de graveur avec Degas, Pissarro fit tirer des planches chez des imprimeurs (Salmon ou Delâtre), essayant apparemment d'en tirer quelque profit, mais sans succès. Un *1er état n° 1* et un *3e état* sont étudiés et reproduits par Barbara Shapiro dans son article du *Boston Museum Bulletin* (1971).

246
LE CHAMP DE CHOUX, *vernis mou*, 1880 (L.D. 29). — B.N., Estampes.

Cette œuvre est intéressante par sa technique, le vernis mou, qui sera d'un grand secours pour les impressionnistes, Mary Cassatt et Renoir entre autres. Cette planche semble être un essai, exclusivement au vernis mou, pour une autre, *Femme dans un potager* (L.D. 30), plus complète, intéressante aussi par la longue lettre de Degas qui s'y rapporte (*Correspondance*, n° XXV, reproduite dans *Degas gravures et monotypes* par J. Adhémar et F. Cachin, Paris 1973, p. XIII). Cette technique est aussi le fruit de discussions entre les quatre promoteurs de « *Le Jour et la Nuit* », Mary Cassatt, Bracquemond, Degas et Pissarro. Dans cette lettre, Degas félicite Pissarro du résultat, dit qu'il l'a montré à « *Miss Cassatt* »,

Epreuve d'artiste.
Hermitage

C. Pissarro

247   **Paysage à l'Hermitage**

Epreuve d'artiste
Crépuscule

C. Pissarro
imp. par E.D.

237   **Soleil couchant**

et lui enseigne à parfaire sa technique en versant la résine « *diluée dans de l'alcool* » pour obtenir un fonds plus régulier et en travaillant ensuite des effets « *avec l'estompe ou le doigt ou toute autre pression sur le papier qui couvre le vernis mou* ». Degas apprécie en particulier le « *ton bistré du derrière du dessin* », car c'est une approche vers la couleur, pour laquelle il dit avoir « *d'autres idées* ».

247-248

PAYSAGE A L'HERMITAGE, PONTOISE, *pointe sèche*, 1881 (L.D. 28), deux épreuves, n⁰ 4 et n⁰ 9 annotées : *épreuve d'artiste, paysage à l'Hermitage, cuivre, manière grise.* — B.N., Estampes, anc. coll. du Musée du Luxembourg.

Pissarro parle plusieurs fois de sa « manière grise », par exemple à propos de *La Femme à la brouette* (L. D. 31), dont il envoie une épreuve à Lucien en lui écrivant : « *Une seule épreuve est très belle, c'est celle que je t'envoie, c'est de la manière grise.* » Mais il n'explique pas en quoi elle consiste. Est-ce un vernis mou gratté au pinceau métallique, ou une plaque frottée au papier de verre ? Elle lui permet d'obtenir des délicatesses inédites dans les gris, avec des planches à peine égratinées, et très finement encrées.

La date de Delteil : 1880, est contredite, comme beaucoup d'autres, par les annotations que l'artiste apposa sur les épreuves du tirage qu'il exécuta spécialement pour le marchand américain Avery et aujourd'hui à la New York Public Library. Celle-ci est annotée : *Environs de Pontoise, 1881, à la manière grise.* Or nous savons par les lettres qu'il écrivit à Lucien que ce tirage doit se situer en 1888. Les dates données par Delteil l'ont été d'après les souvenirs de Lucien, qui ne sauraient être plus fidèles, vers 1920, que ne l'étaient ceux de son père lui-même quelques années seulement après qu'il eût fait ses propres gravures. D'autre part les dates des épreuves de la collection Avery correspondent bien mieux avec les recoupements que l'on peut faire avec les voyages de Camille et ses expositions. Par exemple, les épreuves concernant Rouen sont datées par Pissarro de 1883, date à laquelle il y travailla. Or nous savons qu'il y travaillait, même ses gravures, sur le motif. Delteil les date indifféremment de 1885, 86 ou 87. Pissarro quitta Osny en 1884, date assignée par lui à des gravures de motifs d'Osny, alors que Delteil date l'*Église d'Osny* de 1886 et le *Paysage d'Osny* de 1887. A la 8ᵉ exposition impressionniste en 1886, il expose la *Rue de l'Épicerie* (L.D. 64), dont l'épreuve Avery est datée *1883* et par Delteil 1886. Or l'exposition ouvrit le 15 mai et Pissarro, n'ayant pas quitté Paris pendant les premiers mois de l'année pour préparer cette exposition, ne semble pas avoir eu le loisir de travailler à ses eaux-fortes.

Expédiées en 1888 en Amérique, les épreuves de la collection Avery n'ont pas été vues par Lucien Pissarro. Les dates qu'il a indiquées ne peuvent donc tenir compte de celles données par son père, à l'encre, sur ces épreuves. Or pour la période 1883-1886, les dates données par Pissarro lui-même nous offrent un panorama de son œuvre bien plus homogène, où l'on distingue nettement les périodes de travail et celles où il a abandonné la gravure. Il apparaît, et c'est tout à fait logique, que l'essentiel de son œuvre gravé est situé dans une période bien précise entre son retour de Rouen à la fin de 1883, où il a préparé sur le motif une grande série et son départ d'Osny au printemps de 1884. C'est l'époque où il envisage de faire une exposition de ses gravures en Angleterre. Si l'on suit les dates de la collection Avery, son programme paraît clair, avec une quarantaine de planches (L.D. 31 à 70) au lieu que les dates données par Delteil ne tiennent compte ni des voyages, ni des expositions, ni des possibilités matérielles de Pissarro. Il semble douteux que Pissarro ait pu faire des gravures isolées, car on ne se lance pas dans une telle « cuisine » pour une seule planche et pour y revenir quelques mois après. Il est plus vraisemblable de concevoir des « cycles » de gravures, pendant lesquels l'artiste s'y donne totalement, ne serait-ce que pour des raisons purement matérielles.

Il est important ainsi de connaître par des dates les intentions de l'artiste en gravure. Quant à les préciser davantage, il faudrait décider de ce qu'on peut entendre par la *date* d'une œuvre, et particulièrement d'une gravure.

252

Baigneuses à l'ombre des berges boisées

249

L'ILE LACROIX A ROUEN, *aquatinte et eau-forte*, 1883 (L.D. 69), épreuve annotée : *n° 2 épreuve d'artiste.* — B.N., Estampes, anc. coll. du Musée du Luxembourg.

250

PREMIÈRE PLANCHE ABANDONNÉE APRÈS LE GRAIN D'AQUATINTE, 1883 (L.D. n.d.). — B.N., Estampes, anc. coll. Curtis.

La Bibliothèque nationale a la chance de posséder la seule épreuve connue d'un essai — non répertorié par Delteil — pour la planche de *L'Ile Lacroix*. C'est un simple document puisque seule l'aquatinte a été coulée, mais la façon dont Pissarro a coulé dans la même masse à la fois le motif et son reflet en font un témoignage précieux de la vision impressionniste. Delteil date cette planche de 1887. Pissarro la datait de 1883 sur l'épreuve de la collection Avery, sous le titre « *La Seine à Rouen* ».

251

FEMMES PORTANT DU FOIN SUR UNE CIVIÈRE, *lithographie*, 1874 (L.D. 138). — B.N., Estampes.

C'est en 1874, l'année même de la première exposition impressionniste, que Pissarro fit connaissance avec la lithographie. Il en exécuta une douzaine, au crayon ou à la plume, avec un succès inégal. Celle que nous présentons est une de ses meilleures avec l'*Enfant mort*, *Une rue aux Pâtys* et *Femme et enfant dans les champs*. Les lithographies à la plume sont d'un effet très maigre et très malhabile. Toutes sont rarissimes, n'ayant été tirées sans doute qu'à un ou deux exemplaires. Ce n'est qu'à la fin de sa vie, après 1894, que Pissarro sut utiliser profondément les ressources de la lithographie.

252

BAIGNEUSES A L'OMBRE DES BERGES BOISÉES, *lithographie*, 1894 (L.D. 142), 2e (dernier) état. — B.N., Estampes, épreuve du Dépôt légal.

Après la douzaine d'essais exécutés en 1874, et dont quelques-uns seulement sont concluants, Pissarro abandonna la lithographie. Il y revint vingt ans après et il en fit encore une cinquantaine, ayant trouvé là un nouveau moyen de modeler son dessin comme il le dit lui-même « *dans la chair ferme* ». Ce retour à la lithographie fut tout à fait accidentel. On le doit à l'intervention de Toulouse-Lautrec. « *J'ai vu Lautrec, qui m'a présenté M. Marty qui fait un journal d'estampes. Il m'a demandé quelque chose pour son deuxième numéro... de la lithographie peut-être ?* (Lettre à Lucien, 3 mars 1893.) « *Je fais pour le dernier numéro de Marty une litho sur pierre* » (*ibid.*, 28 janvier 1894). Cette lithographie fut donc publiée dans « *L'Estampe originale* », l'album périodique de Marty, à 100 exemplaires, en mars 1894. Pissarro reprit goût à cette technique, en particulier pour ses « *Baigneuses* », dont il tira des effets inédits d'ombre et de matière. En janvier 1894, en même temps donc que cette litho « sur pierre », il fait tirer chez l'imprimeur Taillardat « *quelques lithos sur zinc, des femmes luttant, jouant dans l'eau* » (L.D. 157 à 161) qui, contrairement à celle sur pierre, furent faites sans doute pour son plaisir et non éditées. Les épreuves originales en sont rarissimes.

253-254-255
ÉGLISE ET FERME D'ÉRAGNY, *eau-forte en couleurs*, 1895 (L.D. 96), *épreuve d'artiste*.
— Coll. particulière, Paris.
Retirage du 6ᵉ (dernier) état. — B.N., Estampes.
Tirage original de la planche en noir seule, épreuve annotée *nᵒ 4, 5e état la ferme
à Éragny, près Gisors*. — B.N., Estampes, anc. coll. du Musée du Luxembourg.

Malgré la date attribuée par Delteil (1890), c'est bien de 1895 que datent les essais de
cette planche, date à laquelle Pissarro fit un tableau du même motif (L.R. 929). En effet,
malgré les désirs des graveurs impressionnistes de faire de l'estampe en couleurs, aucune
solution n'avait été apportée hormis celle de Mary Cassatt, et Degas et Pissarro en étaient
encore réduits à colorier leurs épreuves. C'est le 28 mai 1894 que Pissarro écrit à Lucien :
« *Je me suis mis à l'eau-forte en couleurs* », et il semble bien que ce soient là ses premières
véritables tentatives, très tardives donc, et très rares puisqu'il n'en fit que cinq. Le 18 janvier 1895, il lui écrit encore : « *J'ai en chantier des eaux-fortes en couleurs* ». Il s'agit de
celles que nous présentons ici. Malgré leur date, on se doute que des essais en couleurs
ont quelque importance dans un style où la couleur joue un tel rôle, c'est pourquoi nous
les présentons ici. Or ces planches en couleurs ont été retirées en 1930, avant que les
cuivres ne soient offerts au Cabinet des estampes. Si les retirages des planches en noir
qui ont été exécutés après la mort de Pissarro sont la plupart d'une bonne qualité, on
ne saurait en dire autant des retirages en couleurs. La comparaison avec des tirages
originaux apporte la preuve de l'extrême difficulté de l'encrage et des problèmes techniques
auxquels se heurta Pissarro, qui expliquent qu'il ne se soit mis à ce travail que fort tard,
malgré ses désirs. Le mélange des couleurs dans le tirage original est très doux, et l'encrage
léger, le tirage peu appuyé compensent la vigueur des couleurs pures employées ici comme
sur les toiles. C'est ce que n'a pas su respecter le retirage, où les couleurs trop vives se
heurtent, à la limite du mauvais goût. C'est un tirage qu'aurait sans doute renié l'artiste,
si soucieux de la délicatesse des encrages sur laquelle il insiste maintes fois.

256
PAYSANNES A L'HERBE, *eau-forte en couleurs*, 1895 (L.D. 111), épreuve annotée :
nᵒ 8 ép. d'art. Paysannes à l'herbe, 4 planches. — B.N., Estampes, anc. coll. du
Musée du Luxembourg.

257-258
BAIGNEUSES GARDEUSES D'OIES, *eau-forte en couleurs*, 1895 (L.D. 119), épreuve
annotée : *nᵒ 9 ép. d'art... en 4 planches*, avec annotation des couleurs. — B.N.,
Estampes, anc. coll. du Musée du Luxembourg.
Épreuve du retirage de 1930 *nᵒ 1/11*. — B.N., Estampes.

Ce sont les deuxième et troisième eaux-fortes en couleurs parmi les cinq que réalisa Pissarro.
On est précisément renseigné sur ce point par sa correspondance. En 1894, il a fait ses
premiers essais. La couleur devient alors à la mode, et Vollard essaie de lancer ses éditions.
« *Vollard m'a parlé d'exposer des gravures en couleurs, cela m'ennuie car je n'ai que peu de
choses, trois pièces. Si c'est sérieux, je n'en sais rien. Vollard, ce dont tu peux être sûr, ne
s'occupera que de ce qui se vend* » (Lettre à Lucien, 26 avril 1896). « *L'exposition est un
succès. Vollard demande ses prix, si c'est retouché à la main avec de la gouache (curieux!),
si n'importe quel imprimeur peut en tirer et combien d'épreuves* ». Pissarro lui répondit :
« *Je fais des gravures parce que cela m'amuse et je ne tiens pas à les vendre* » (*ibid.*,
22 juin 1896). L'exposition de Vollard eut lieu effectivement du 15 juin au 20 juillet 1896.
Les trois gravures en couleurs de Pissarro exposées étaient : les *Baigneuses*, les *Paysannes
à l'herbe, Eglise et ferme d'Eragny*. On en conclut que les tirages en couleurs des deux
autres eaux-fortes qu'il exécuta ainsi : *Mendiantes* et *Marché à Gisors* sont postérieures.

259-260

MARCHÉ DE GISORS, RUE CAPPEVILLE, *eau-forte en couleurs*, 1895 (L.D. 112), 7e (dernier) état, épreuve annotée : *n° 4 ép. d'art., marché de Gisors rue de Cappeville, en 4 planches.* — B.N., Estampes, anc. coll. du Musée du Luxembourg. Retirage 1930, épreuve n° 1. — B.N., Estampes.

« *J'ai reçu mes plaques en couleurs de l'aciérage. Je t'enverrai bientôt une jolie épreuve de* « *petites paysannes à l'herbe* » *et un* « *marché* », *en noir rehaussé de teintes, je crois que l'on peut faire de jolies choses ainsi. Cela ne ressemble en rien à Miss Cassatt, c'est du rehaut voilà tout. J'ai déjà quelques jolies épreuves. C'est très difficile de trouver juste les couleurs nécessaires* ». (Lettre à Lucien, 18 janvier 1895.)

Il existe en effet des épreuves en noir de ces eaux-fortes, que Pissarro se contentait de rehausser. Mais l'état définitif est en couleurs avec quatre planches, aujourd'hui conservées au Cabinet des estampes. Puisqu'elle n'était pas exposée en 1896 chez Vollard avec les autres, on peut supposer que les planches de couleurs furent exécutées ensuite, ce qui expliquerait qu'en 1895, Pissarro en soit encore à rehausser de teintes des épreuves en noir de ce *Marché*.

261-262

PAYSANNE SOUS UN ARBRE, LES MAINS SUR LES HANCHES, *gravure en relief sur métal*, v. 1900?, (L.D. n.d., Cailac n° 195?), deux tirages : noir et bistre. — B.N., Estampes.

263

PAYSAN AU TRAVAIL, *même technique*, esquisse au revers de la même planche. — B.N., Estampes.

A la vente de l'atelier de Pissarro, dirigée par J. Cailac, on trouvait deux épreuves curieuses de gravures sur métal en relief : *Paysanne sous un arbre* (187 × 122) et *Paysanne portant une corbeille* (115 × 85) dont il signale une épreuve coloriée à l'aquarelle. Dans une vente récente (Hôtel Drouot, 31 mai 1974, n° 137), une épreuve d'une *Paysanne sous un arbre* est réapparue, dans un tirage posthume. Le Cabinet des estampes possède la plaque gravée, et même sculptée, par Pissarro, puisque le métal y est creusé comme un bois, le dessin ayant été réservé, peut-être avec un vernis. Cette plaque de 140 × 123 mm n'est peut-être pas celle des épreuves signalées par Cailac. Il y aurait alors trois essais de Pissarro dans cette technique très originale, dont l'idée est empruntée à la gravure sur bois, que pratiquait son fils Lucien. Il est curieux de constater que, dans son souci de redécouvrir la gravure, de réinventer ses techniques pour faire un art personnel et sincère, Pissarro a retrouvé naturellement une des techniques archaïques de l'estampe, à l'époque où, au XVe siècle, les graveurs traitaient encore le métal comme le bois (criblés). Selon J. Cailac, la planche a été mordue par un acide, protégée par un vernis. Le dessin au vernis fut fait par Camille mais elle fut mordue par Lucien qui aurait préparé son père à cette méthode. *Sur le vernis, on mettait un grain de résine qui le renforçait, mais rendait aussi le dessin plus grossier.*

Ainsi cette planche daterait de l'époque où Camille collaborait avec son fils. Le revers de la plaque porte d'ailleurs une esquisse à peine mordue qui représente un paysan au travail, tout à fait dans l'esprit des études que Pissarro poursuivait pour les *Travaux des champs*. Il est possible que ces recherches datent des vacances que Lucien passa à Éragny en juillet-août 1895, et au cours desquelles les projets de travail en commun pour les *Travaux des champs* prirent corps.

Les tirages exposés ont été réalisés spécialement pour l'exposition par l'atelier Le Blanc; la Bibliothèque nationale ne possédait que la plaque et pas d'épreuves. Deux épreuves ont été tirées (en noir et en bistre), et une contre-épreuve à la manière d'une taille-douce.

261

264

FEMME PORTANT UNE MANNE, *monotype en couleurs*, v. 1889. — Coll. particulière, Paris.

Sur la trentaine de monotypes que dut exécuter Pissarro, le groupe le plus homogène (aujourd'hui partagé entre diverses collections américaines : Metropolitan, Boston, San Francisco, Jenkintown, auquel se rattache celui du Cabinet des estampes de Budapest) est proche de ce que faisait Degas. Mais certains se détachent de la manière « orthodoxe » du monotype (encre étalée sur une plaque et passée sous la presse contre une feuille), et montrent son insatiable curiosité, telle cette paysanne tenant une corbeille. Apparue à la 2ᵉ vente Pissarro (7-8 décembre 1928, nᵒ 234), réapparue dans un catalogue de 1962, elle est toujours cataloguée comme monotype. A regarder de près, il est évident que la couleur y est bien écrasée, mais aussi qu'il ne s'agit pas d'encre d'imprimerie, mais de gouache ou d'aquarelle. Il apparaît aussi que l'artiste a pu faire une simple contrepartie d'une peinture sans même la passer sous la presse, car les touches de couleurs, quoiqu'écrasées, ne sont pas cependant trop déformées. De plus, un voile blanc adoucit toutes les parties autour du personnage central et sous le toit, preuve qu'il y a un travail de rehaut, coutumier à Pissarro. Or l'œuvre dont celle-ci est la contre-partie existe, c'est une peinture sur zinc reproduite par Ludovic-Rodo (nᵒ 735). Sur zinc, cela signifie-t-il qu'elle fut exécutée *en vue* du monotype, et d'un passage sous la presse ? Curieux monotype en tout cas, et œuvre charmante, d'inspiration pointilliste, pouvant dater de 1889-1890. Cette expérience est à la limite du domaine de l'estampe, puisque la *pression* y est, et le *report*, mais sans aucun des outils habituels de l'imprimeur. C'est une œuvre de peinture, sans aucun rapport avec la gravure. Il est très curieux de remarquer que Pissarro franchit là une frontière que Degas outrepasse par un moyen à la fois analogue et opposé, en dessinant sur un monotype avec un crayon lithographique (cf. notre nᵒ 210), puisque, dans ce cas, l'outil du lithographe seul subsiste, détourné des buts de l'impression. Pour l'un comme pour l'autre, entre estampe et dessin, il ne saurait y avoir de solution de continuité.

265-266

EFFETS DE LUNE, *deux petits monotypes*, v. 1890?. — Coll. particulière.

Outre ses grands monotypes, Pissarro s'amusa à griffonner sur une plaque des petits dessins, qui n'ont certes pas la valeur esthétique des autres, mais sont des documents plutôt d'ordre biographique. On peut penser qu'il enseignait ainsi à dessiner à ses enfants, dont il surveille si attentivement les aptitudes à l'art. Ces jeux d'estampes furent collés dans un album et conservés par ses enfants à qui il les distribuait. Quelques-uns sont passés dans la collection Pollag. Les autres sont restés dans la famille. Ils confirment ce que répète sans cesse Pissarro à ses amateurs : je ne fais pas de la gravure, je m'amuse. Dans le catalogue de la vente Pollag, ils ont été considérés comme douteux. Le fait qu'on en retrouve issus d'albums de famille montre qu'on doit les considérer simplement comme moins sérieux, et sans rapport avec les recherches approfondies des grands monotypes et des autres œuvres. On notera cependant la curieuse encre très grasse dont il s'est servi pour rendre un effet de grain, système qui lui a été inspiré peut-être par le vernis mou et l'aquatinte, qu'il mélangeait, comme l'explique Degas. Mais il ne semble pas avoir repris ce procédé original dans ses grands monotypes.

267

PAYSANNES A L'HERBE, *gravure sur bois en couleurs*, 1895-1898, planche V de la série des *Travaux des champs*. — B.N., Estampes, anc. coll. du Musée du Luxembourg.

Les gravures sur bois de Pissarro, gravées par son fils Lucien, sont d'une importance qui a totalement échappé aux catalogues et aux études sur la gravure impressionniste. Parce

que gravées par Lucien, on les a ordinairement classées dans l'œuvre de celui-ci, alors que Camille a bien dessiné sur le bois les dessins, faisant œuvre parfaitement originale et consciente de graveur sur bois. Le résultat en témoigne aussi. Pissarro a utilisé les différentes planches de bois pour faire jouer le fameux « mélange optique » dont l'application en peinture lui avait parue décevante. Les touches de peinture sont trop épaisses pour que le mélange optique se fasse vraiment et que les effets de reflets complémentaires soient convaincants. Au contraire, la trame minuscule que permettent les outils du graveur sur bois, et un repérage minutieux des différentes planches permettent de parvenir à un effet très délicat parce qu'imperceptible. Il faut donc admirer ici à la fois l'œil très sûr du chromiste Pissarro qui a su différencier les planches dans des nuances d'une extrême finesse, alors que les couleurs loin d'être réparties en grandes masses, se pénètrent en une trame microscopique, et la technique de Lucien qui a su réaliser parfaitement l'idée de son père. Les sujets ont été choisis en fonction de ces possibilités : reflets de soleil couchant, robes chatoyantes mêlées de reflets de l'herbe et du crépuscule. Ce n'est que grâce à une longue préparation et à une collaboration intime des deux artistes, qui œuvraient dans une compréhension totale, qu'un tel résultat fut possible.

268

LES SARCLEUSES, *gravure sur bois en couleurs*, 1895-1898, planche VI de la série des *Travaux des champs*. — B.N., Estampes, anc. coll. du Musée du Luxembourg.

La première allusion à un projet de publication en commun de Camille Pissarro et de son fils Lucien remonte à 1886 : « *Faisant des dessins pour* la Vogue, *c'est un pied dans le journalisme illustré, c'est connaître des intermédiaires qui pourront à un moment donné nous faciliter la publication de notre livre du* Travail des champs » (Lettre à Lucien, 10 décembre 1886). A cette date déjà le projet semble bien arrêté. L'album ne fut publié qu'en 1904, après la mort de Camille. Entre temps, il ne fut jamais abandonné, mais patiemment mis au point. Pour Pissarro et son fils, il s'agissait vraiment d'un « grand œuvre » sans cesse perfectionné. Le 4 septembre 1888, il existe déjà des gravures : « *Théo Van Gogh m'a prié de te demander combien tu veux vendre une épreuve de la gravure faite d'après mon dessin pour le* Travail des champs ». Mais il ne semble pas que Camille se soit lancé dans le dessin directement sur bois, ce ne sont encore que des approches. Le projet prit corps pendant l'été de 1895. Lucien était en vacances à Éragny et décida son père à entreprendre des dessins spécialement pour cette publication. Il se mit aussitôt au travail : « *J'ai à peu près terminé un dessin pour les* Travaux des champs, *des ramasseuses de bois mort revenant du bois* » (11 septembre 1895). En 1900, le travail de Camille semble terminé : « *Pour les* Travaux des champs, *je ne suis pas encore prêt à les imprimer* », écrit Lucien, le 6 avril, et le 28 mars 1902 son père lui demande encore : « *Quand commenceras-tu les* Travaux des champs? » Camille Pissarro mourut le 13 novembre 1903. L'album parut en 1904. Il comportait 6 planches et une seconde série était annoncée : *Travaux des champs, 1re série, woodcuts in line and colours, a portfolio containing 6 woodcuts designed and drawn on the wood by Camille Pissarro engraved and printed by his son Lucien Pissarro. Vale Publications... 1904.* (Reproduction des 6 planches dans *Les Gravures des Impressionnistes*, par J. Leymarie et M. Melot, Paris, 1971, nº 199 à 204.)

XXI. LE GROUPE D'AUVERS

L'été de 1873, dans la maison du docteur Gachet à Auvers-sur-Oise, quatre amis s'adonnent à l'eau-forte. Bien datées, bien groupées, les œuvres qui sont issues de cet « atelier » sont des essais, griffonnés sur le motif ou d'après des dessins, mordus peut-être un peu hâtivement, parfois maladroitement. Elles tirent de cette ambiance amicale et enthousiaste qui les vît naître un charme primesautier typique de la volonté impressionniste. C'est bien ce que Pissarro appelait des « impressions gravées ». Les quatre amis se promènent jusqu'à Bicêtre, et au retour de la promenade livrent leurs croquis au cuivre et à l'acide. Le trait est rapide, embrouillé, la morsure vive, uniforme. Le promoteur de « l'atelier » est le docteur Gachet, qui signe ses œuvres Van Ryssel (de Lille); il accueille son ami, client et voisin Pissarro, récemment installé à Pontoise à son retour d'Angleterre, où il s'était réfugié en 1870. Pissarro a recueilli chez lui un jeune peintre dont il a su reconnaître et encourager le talent pourtant déroutant : Paul Cézanne. Il l'amène chez Gachet. A eux viennent se joindre, le dimanche, un fonctionnaire parisien, peintre encore amateur, Armand Guillaumin. Gachet s'est pris de passion pour l'eau-forte, et il possède une presse. Pissarro connaît un peu — mal — cette technique. Cézanne et Guillaumin sont moins attirés par la gravure, et ils feront là, entraînés par les deux autres, des œuvres plus circonstancielles. Quatre débutants, mais pleins d'ardeur et de conviction dans le modernisme de leur vision. Cette suite de petites planches a acquis, depuis lors, une grande importance historique en conservant l'originalité brutale et native de ce que fut l'Impressionnisme.

A ce groupe d'estampes de l'été 1873, il faut ajouter le célèbre portrait du docteur Gachet que Van Gogh réalisa chez lui, sous sa direction technique, le 15 mars 1890.

Van RYSSEL (pseud. du docteur Paul GACHET)

269
Maison dans les roches, *eau-forte*, 1873 (P.G. 7) 1er état. — B.N., Estampes, anc. coll. Gachet.

On connaît le rôle important joué par le docteur Gachet dans l'Impressionnisme. Il ne fut pas seulement un de leurs rares clients; artiste amateur lui-même, il devint leur ami; il fut en particulier graveur et nous avons là un témoignage direct de sa collaboration avec ses amis impressionnistes, puisqu'il offrit des possibilités matérielles de travail à Pissarro, Cézanne et Guillaumin qui auraient été bien incapables de se payer une presse, des cuivres ou même des stages chez un imprimeur. Le style de Van Ryssel est tout à fait semblable au leur, avec simplement, moins d'audace ou de métier. Sa technique est aussi rudimentaire, mais c'est lui qui, sans doute, dirigeait les opérations. La collection d'estampes du docteur Gachet était aussi remarquable que sa collection de peintures; on s'en rend compte par le catalogue Delteil qui en signale les épreuves. On les reconnaît à sa marque de collectionneur : une tête de chat rouge.

270

A Gentilly, vallée de la Bièvre (Une rue à Bicêtre), *eau-forte*, été 1873 (P.G. 3). — B.N., Estampes, anc. coll. Gachet.

Exécutée peut-être lors de la promenade d'où Cézanne rapporta sa *Vue de Bicêtre* (n° 281)?

271

La maison du pendu, *eau-forte*, été 1873 (P.G. 9). — B.N., Estampes, anc. coll. Gachet.

D'après le tableau de Cézanne (aujourd'hui au Musée du Louvre).

272

L'Estaque, *eau-forte*, été 1873 (P.G. 4). — B.N., Estampes, anc. coll. Gachet.

D'après un dessin au crayon de Cézanne que celui-ci venait d'offrir au docteur Gachet, pour le remercier de son hospitalité.

273

Les Hautes bruyères, *eau-forte*, 1872. — B.N., Estampes, anc. coll. Gachet.

A rapprocher des deux eaux-fortes (cf. n° 283) exécutées aux Hautes-Bruyères la même année par Guillaumin, sans doute en compagnie de Van Ryssel. Comme d'habitude, dans l'œuvre de Van Ryssel, on retrouve les écritures familières aux Impressionnistes, et les mêmes expériences graphiques : les deux albums de son œuvre au Cabinet des estampes contiennent aussi, entre autres, deux monotypes (P.G. 27, 1876), de curieux essais de procédés (aquatinte ou fond à l'encre grasse, P.G. 13, 1873), des eaux-fortes « mobiles », des copies de Millet, des œuvres inspirées de Pissarro (*La Nourrice*, P.G. 23, 1874, à rapprocher de *Paysanne donnant à manger à un enfant*).

Camille PISSARRO

274

Coteaux a Pontoise, *eau-forte*, été 1873 (L.D. 7), épreuve annotée par l'artiste : *n° 3, 1er état*, Côteaux à Pontoise, cuivre. — B.N., Estampes, anc. coll. du Musée du Luxembourg.

Ce cuivre fut gravé chez le docteur Gachet. C'est en effet dans l'atelier d'Auvers qu'il fut redécouvert en 1922, et malheureusement détruit après qu'on en eût tiré seulement six nouvelles épreuves, en 1923. Il en existe 12 épreuves originales (tirées par l'artiste ou sous sa surveillance).

Outre la marque de cette période (la fleur en haut à droite, et en bas à gauche), cette planche se ressent du goût que partagèrent les amis d'Auvers pour l'eau-forte pure, griffonnée rapidement, sans doute sur le motif même, petit croquis d'impression en noir et blanc à la composition encore sommaire, sans aucun des effets compliqués de gravure qu'affectionna Pissarro par la suite. On peut la rapprocher à tous points de vue des eaux-fortes de Van Ryssel, Guillaumin et Cézanne, faites dans le même esprit.

275

L'Oise a Pontoise, *eau-forte*, 1873 (L.D. 9), épreuve annotée par l'artiste, *1er état, no 1, l'Oise à Pontoise, cuivre*. — B.N., Estampes, anc. coll. du Musée du Luxembourg.

Le Cabinet des estampes possède 2 épreuves, le no 1 et le no 7 du tirage d'une quinzaine d'épreuves faites par l'artiste à Auvers, où le cuivre a été retrouvé en 1922 et détruit après 6 nouvelles épreuves de 1923. Comme la précédente, c'est donc certainement des séjours chez le docteur Gachet que date cette pièce, exécutée dans les mêmes conditions et le même style.

276

Fabrique a Pontoise, *eau-forte*, 1873 (L.D. 14), épreuve annotée par l'artiste : *1er état, no 1 Fabrique à Pontoise, (cuivre)* — B.N., Estampes, anc. coll. du Musée du Luxembourg.

Comme pour les précédentes, le cuivre de ce croquis a été retrouvé chez le docteur Gachet. Quelques tirages anciens (B.N., Estampes, Bibl. de l'Institut d'art et d'archéologie) et 6 épreuves en 1923. Noter l'iconographie nouvelle du paysage avec cheminée d'usine qui rompt avec la tradition de paysage romantique. L'usine n'est pas traitée ici pour faire un effet spécial ou évoquer le monde industriel, elle participe au paysage comme un élément neutre. On peut la comparer aux effets de paysages « actualisés » par P. Huet ou Daubigny.

Paul CÉZANNE

277

Portrait de Guillaumin au pendu, *eau-forte*, été 1873 (V. 1159). — B.N., Estampes, anc. coll. Gachet.

Pochade amusante à propos de l'ami Guillaumin et de la Maison dite du Pendu à Auvers dont il fit aussi une peinture (Musée du Louvre). Contrairement à la précédente, cette œuvre n'est pas rare en tirages récents, car le cuivre en a été conservé, et est actuellement encore tiré. Ce n'est malheureusement pas la plus intéressante des eaux-fortes de Cézanne. Son écriture fruste et son aspect de plaisanterie peuvent faire penser que c'est sa première eau-forte.

278

Péniches sur la Seine a Bercy, *eau-forte*, été 1873 (V.n.d.). — B.N., Estampes, anc. coll. Gachet.

Selon P. Gachet, c'est la première des cinq eaux-fortes de Cézanne. Ignorant tout de cette technique, Cézanne a choisi, chez le docteur Gachet, de recopier à sa façon le tableau de Guillaumin de 1871, ce qu'il note amicalement sur son cuivre : « *D'après Armand Guillaumin pictor* », cette eau-forte est rarissime. On voit avec quel « tempérament » pour reprendre le mot de Zola, Cézanne s'empare de l'œuvre de son camarade et la réduit à quelques masses synthétiques.

278

P. Cézanne

279

280

279

Tête de jeune fille, *eau-forte*, septembre 1873 (V. 1150), datée en bas à droite : *P. Cézanne 73.* — B.N., Estampes, anc. coll. Gachet.

Avec les « *Péniches à Bercy* », c'est la plus révélatrice des eaux-fortes de Cézanne. Au bouillonnement des lignes qui écorchent la planche de façon désordonnée, à la rigueur de la morsure, on imagine l'impatience de Cézanne devant ce travail qui réclame prudence et minutie. Peut-être faut-il voir là son peu de goût pour l'eau-forte qu'il abandonna après ces cinq essais très occasionnels. Comme pour le *Guillaumin au Pendu*, il existe des retirages courants et abondants de cette planche, qui fut tirée en noir et en bistre, mais en un seul état, quoique le cuivre ait été, par la suite, biseauté.
  Cézanne a réussi ce record de susciter plus de catalogues de son œuvre gravé qu'il ne fit de gravures. Cela est dû, on s'en doute, aux retirages que nous avons signalés et qui poussent marchands et collectionneurs à faire connaître cette œuvre, rarissime en tirages originaux, mais qu'on peut se procurer couramment en retirages. Il est bien évident que, malgré le renom de son auteur, il ne faut pas surestimer l'importance de cet œuvre gravé, certes sympathique, mais restreint, fruit de circonstances et auquel Cézanne lui-même ne s'attacha pas par la suite.

280

Paysage a Auvers, entrée de ferme, rue Saint-Rémy, *eau-forte*, juillet 1873 (V. 1161). — B.N., Estampes, anc. coll. Gachet.

C'est cette fois un de ses propres tableaux que Cézanne interprète, à l'envers, à l'eau-forte. Ce tableau exécuté à Auvers (Venturi nº 139), il l'offrit d'ailleurs à Pissarro. Cette estampe fut republiée en fronstispice du *Cézanne* édité par Bernheim. Il en existe des tirages en bistre.

281

Vue dans un jardin a Bicêtre, *eau-forte*, seul état, été 1873 (V.n.d.). — B.N., Estampes, anc. coll. Gachet.

Selon Paul Gachet (*Cézanne graveur, les Beaux-Arts*, 1952), les quatre aquafortistes d'Auvers auraient rivalisé sur le cuivre au retour d'une randonnée commune dans la vallée de la Bièvre. On retrouve en effet, parmi les œuvres de Van Ryssel, une « *Rue à Bicêtre* » qui semble bien parente de l'eau-forte de Cézanne, sans doute faite le même jour, dans le même esprit (cf. nº 270).

Vincent VAN GOGH

282

L'Homme a la pipe (portrait du docteur Gachet), *eau-forte*, 15 mars 1890 (La Faille 1664, Juliana Montfort, 10). — B.N., Estampes, anc. coll. Gachet.

A la suite des petites eaux-fortes réalisées pendant l'été 1873 par le « groupe d'Auvers », il faut ajouter cette pièce, beaucoup plus tardive, célèbre parce qu'il s'agit de la seule eau-forte qu'ait jamais exécutée Van Gogh. C'est le portrait du docteur Gachet ; la planche était conservée — comme les estampes de Pissarro de 1873-1874 — dans son atelier. Van Gogh avait même projeté d'en faire une série avec Gauguin : « *J'espère bien faire quelques eaux-fortes de motifs du midi, mettons six, puisque je peux sans frais les imprimer chez le docteur Gachet qui veut bien les tirer pour rien, si je le fais... et Gauguin probablement gravera quelques toiles de lui en combinaison avec moi* » (642 F). Ce projet, comme tant d'autres, avorta, mais il reste cependant ce témoignage d'un travail à Auvers. On a contesté l'originalité de cette planche, sans raison sérieuse. Nul doute que, comme pour les autres (Cézanne, Pissarro), Gachet ait joué le rôle du technicien pour la pose du vernis, la morsure peut-être, et de l'imprimeur, comme Bracquemond, Guérard et tant d'autres l'ont fait pour d'autres peintres. Mais il n'y a aucune raison de suspecter que Van Gogh ait bien dessiné ce portrait à la pointe sur le cuivre. Juliana Montfort, dans son excellent article *Van Gogh et la gravure* (*Nouvelles de l'estampe*, no 2, 1972, p. 5-13), en a dénombré 18 épreuves. Il en existe sans doute un peu plus. C'est aussi le seul témoignage de l'estampe impressionniste par Van Gogh; ses autres essais en ce domaine sont des lithographies réalisées à ses débuts, en Hollande, en vue de publications populaires et dans le goût réaliste des artistes qui l'intéressaient alors : Millet et surtout l'illustrateur de journaux anglais : Herkomer.

XXII. GUILLAUMIN

L'œuvre gravé de Guillaumin, comme ceux de De Nittis ou de Berthe Morisot, reste non seulement à étudier mais même à cataloguer. L'*Inventaire du fonds français* du Cabinet des estampes est à compléter par plusieurs enrichissements postérieurs à sa rédaction, qui portent le total des estampes de Guillaumin à dix-sept eaux-fortes et cinq lithographies. L'Inventaire connaît la suite de dix petites eaux-fortes de 1872, que nous ne possédons qu'en retirages sur chine appliqué, la *Planche aux deux sujets*, vers 1872, et la *Vue de Zaandam*, en noir et en couleurs, vers 1902. Il faut y ajouter cinq planches plus importantes que les précédentes : le *Chemin creux aux Hautes-Bruyères*, le *Port de Bercy*, le *Pont de Charenton*, la *Planche aux quatre sujets*, et les *Moulins en Hollande*.

Cet œuvre mal connu, on sait au moins d'où il tire son origine : les premières planches ont été exécutées en 1872 chez le docteur Gachet. Guillaumin, qui fut fonctionnaire à l'Hôtel de Ville de 1868 à 1880, était alors un habitué, la semaine, des rives de la Seine entre Bercy et Charenton, et le dimanche, de l'hospitalière maison-atelier d'Auvers-sur-Oise. La planche la plus intéressante est, sans doute par sa sorte de sauvagerie, le *Chemin creux aux Hautes-Bruyères*, qui est dédiée au docteur Gachet, et qui semble avoir été sa première tentative. La suite de dix eaux-fortes est encore du même esprit et de la même époque. Le *Pont de Bercy*, daté de septembre 1873, et le *Port de Charenton* font preuve de plus de soin dans la composition et dans la technique; ce sont aussi de plus grandes planches. Quoiqu'elles n'aient plus la spontanéité des premières, elles donnent une certaine ampleur à l'œuvre gravé de Guillaumin, que ne lui confèrent pas les précédentes, simples pochades sur cuivre. Les *Moulins en Hollande*, d'un tout autre style, plus épuré, sont aussi d'une tout autre époque, comme la *Vue de Zaandam*, dont la Bibliothèque nationale possède une épreuve en noir et une autre en couleurs (anc. coll. Curtis), lorsque l'artiste put voyager. C'est de cette époque aussi (v. 1902-1904) que datent les lithographies en couleurs dont nous exposons un exemple dans notre dernière section.

283
CHEMIN CREUX AUX HAUTES-BRUYÈRES, VALLÉE DE LA BIÈVRE, *eau-forte*, 1872, épreuve dédicacée par Paul Gachet à J. Lieure. — B.N., Estampes, anc. coll. Lieure.

La dédicace maladroitement gravée dans la plaque par Guillaumin, en bas à droite,

« *au docteur Gachet* » rappelle que Guillaumin fut des « élèves » aquafortistes d'Auvers. Cette pochade griffonnée nerveusement, brutalement mordue, est bien dans le style des croquis à l'eau-forte exécutés par Van Ryssel, puis par Cézanne et Pissarro, au retour de promenades dans la vallée de la Bièvre, comme le raconte le fils du docteur Gachet dans sa brochure sur *Cézanne graveur*.

C'est peut-être la première, à cause des maladresses, et grâce à elles, peut-être la plus intéressante des gravures de Guillaumin, car l'eau-forte y est traitée en impressionniste, alors que plus tard, en s'étudiant à mieux cerner le motif, à remplir les volumes de tailles monotones, Guillaumin perdit cette originalité sincère.

284

LE PONT DE BERCY, *eau-forte*, 1872. — B.N., Estampes.

Doublement datée dans la planche par l'indication *7bre 72* et par l'image griffonnée du chat, en haut à gauche, qui était la marque du docteur Gachet, cette planche est bien aussi le fruit d'un séjour à Auvers. Guillaumin a peint alors plusieurs vues de Bercy et de Charenton. C'est l'une d'elles que Cézanne reproduisit à l'eau-forte (d'après le tableau n° 11 du catalogue Serret-Fabiani) daté de 1871 et passée au Musée du Louvre avec la collection Gachet. Mais Guillaumin, lui, ne semble pas s'être inspiré d'une de ses peintures pour cette eau-forte faite sans doute d'après un dessin. Le chat gravé, on le retrouve, identique, sur la *Planche aux deux sujets* (*Paysage aux grands arbres* et *Paysage du cabaret*).

285

LE PONT DE CHARENTON, BAC AUX DEUX LIONS, *eau-forte*, 1872-3. — B.N., Estampes (acheté à la Vente de la coll. Demany, 7 février 1957, n° 61).

D'après le sujet et la manière, c'est sans doute là encore une planche, quoique plus élaborée que les autres, datant d'un séjour à Auvers vers 1872-1873.

286

PLANCHE AUX QUATRE SUJETS; LA RUELLE BARRAULT; CHEMIN DES BARONS A BICÊTRE; CHEMIN DES HAUTES-BRUYÈRES; MAISONNETTE (LA PLATRIÈRE), *eau-forte*, 1873. — B.N., Estampes, anc. coll. Curtis.

Cette planche comporte, sur les quatre, deux sujets qui ont été retirés à part dans la suite de dix petites eaux-fortes; *Chemin des Hautes-Bruyères* et *La Plâtrière*, mais elle permet de les voir dans toute leur spontanéité, qui fait l'essentiel de leur charme. Il est donc important de voir ici non seulement un tirage original, mais encore avec les sujets en vrac sur la planche, que Guillaumin, aquafortiste encore inexpérimenté, a préféré diviser en petits formats. Nous avons un autre exemple de cette pratique avec la *Planche aux deux sujets* qui porte, griffonné, le chat (marque du docteur Gachet), de même que le *Pont de Bercy*. Ces sujets sont ceux d'Auvers et des endroits où Gachet et Guillaumin partaient en promenade pour travailler sur le motif : Bicêtre, illustré aussi par une eau-forte de Cézanne, Hautes-Bruyères, déjà traité dans une première eau-forte de Guillaumin.

291. — M. Cassatt, Baby's back.

XXIII. MARY CASSATT

Dans l'histoire de l'impressionnisme, Mary Cassatt tient l'un des premiers rôles. Non pas chronologiquement puisque, arrivée en France en 1874, l'année où les impressionnistes tiennent déjà leur première exposition, elle ne se mit à graver, à l'instigation de Degas, qu'en 1879. Mais à cette date, qui marque l'apogée, en gravure, du style impressionniste, elle rivalise de plain-pied avec son maître — ou plutôt de son « parrain en impressionnisme », Degas. C'est par sa technique très complexe et originale qu'elle fit l'admiration des impressionnistes. Elle emploie immédiatement les procédés et les mélanges les moins orthodoxes. Elle s'y montre aussi résolument impressionniste par sa vision « *définitivement celle d'un réaliste* », comme le souligne si justement Adelyn Breeskin à qui l'on doit un excellent catalogue de son œuvre gravé. Rien d'étonnant alors à ce qu'elle se soit avec enthousiasme ralliée au groupe à partir de 1877, et qu'elle expose avec lui à partir de 1879. Dégagée, contrairement à beaucoup, des soucis d'argent, elle peut se livrer à des expériences coûteuses : 225 planches qu'elle ne tire qu'à peu d'exemplaires, en épreuves d'essais en nombreux états, sur des papiers choisis. Elle n'éditera, à 25, que ses 10 aquatintes en couleurs et à 50, les autres planches (le tirage fut sans doute inachevé). Elle ne montra ses gravures qu'en 1891 chez Durand-Ruel. Ce fut une révélation qui lui valut d'autres expositions personnelles chez Durand-Ruel en 1893 (une quarantaine de gravures), 1895, etc., ainsi que l'admiration presque inconditionnelle de ses amis impressionnistes. (On trouvera la liste des expositions et une bibliographie dans le catalogue de l'exposition du Museum of graphic art, New York, 1967, par Adelyn D. Breeskin.) Mais ce succès ne toucha que le cercle restreint de quelques connaisseurs. Camille Pissarro écrit alors à Lucien : « *Il est arrivé pour Miss Cassatt, ce que du reste je lui ai dit, une grande indifférence de la part des visiteurs et même une grande opposition. Zandomeneghi a été sévère, Degas au contraire a été élogieux, il a été charmé par le côté noble de cet art, tout en faisant de petites réserves qui ne touchent en rien le fond... Quant aux résultats pratiques auxquels pensait Miss Cassatt, il ne faut pas trop s'y fier, la presque généralité est hostile* ». Les aquatintes ne rencontrèrent pas plus de succès à Londres chez Dowdeswell, où Durand-Ruel les avait envoyées.

287

Two young ladies seated in a loge facing right, (Au théatre, reflet de glace), *aquatinte*, v. 1880 (Breeskin 18). — B.N., Estampes, anc. coll. Strölin.

Des deux titres (l'anglais dans le catalogue Breeskin, l'autre dans l'Inventaire du fonds français), nous préférons le second, car si l'on en juge à la courbe du balcon *derrière* la femme, c'est bien un reflet dans une glace, et non une seconde personne que l'on distingue à côté d'elle. Ceci est d'autant plus évident que les reflets sont alors un sujet, typiquement impressionniste, qui retiennent Mary Cassatt, et qu'elle traite dans plusieurs aquatintes. Cette planche est donc à rattacher à la série de *Femmes à l'éventail* (en particulier Breeskin 21 où l'effet de glace est plus clair) qui la suit, plutôt qu'aux *Deux jeunes femmes, de gauche* (Breeskin 17) qui la précède.

    C'est une des premières gravures de Mary Cassatt, vers 1880, à l'époque où Degas écrit à Pissarro : « *Miss Cassatt fait des essais délicieux de gravure* ». Rien ne pouvait charmer davantage Degas que cet effet de lumière artificielle bien dans sa propre manière. Mary Cassatt s'y montre d'emblée fascinée par le métier de l'aquatinte, qu'elle utilise presque seule, simplement rehaussée de quelques travaux à la pointe ou au grattoir. C'est déjà une aquatinte d'une grande complexité qui donne un effet d'une grande simplicité, c'est-à-dire tout à fait dans l'esprit des impressionnistes graveurs.

    Cette estampe est rarissime, 1er état à New York, 2e état (seule épreuve?) à Paris.

288

In the opera box n° 3 (La femme a l'éventail, troisième planche, sur quatre), *vernis mou et aquatinte*, v. 1880 (Breeskin 22), 3e et dernier état. — B.N., Estampes, anc. coll. Porcabeuf.

La femme assise, au théâtre, mais située de telle sorte devant un miroir (qui est le fond de la loge, mais en reflète le balcon, comme s'il s'agissait d'une avant-scène), qu'elle semble être mise en représentation, est un sujet qui mériterait une étude iconographique, puisqu'il a longuement retenu Mary Cassatt dans ses premières gravures. Cette série, sans doute, doit beaucoup à Degas, mais Mary Cassatt y a élaboré une technique bien à elle, à base des trois outils les plus « impressionnistes », le vernis mou, la pointe sèche, l'aquatinte, bien rarement mélangés avant qu'elle ne le fît, surtout avec une telle harmonie. Dans l'utilisation de cette « cuisine » qui vise l'effet de matière par lequel le motif est réellement « sculpté dans la masse » de la plaque de cuivre et non simplement délimité, elle se montre au même stade de recherches que celui où étaient alors Degas et Pissarro.

    C'est précisément cette planche (selon Segard, dont les renseignements sont souvent erronés, donc toujours douteux) qui devait accompagner celles de Degas et de Pissarro dans la publication qu'il projetaient avec Bracquemond « *Le Jour et la Nuit* ». Elle fut tirée, comme les autres, à 50, sans doute chez Salmon, mais le journal ne parut pas (cf. nos n°s 195 et 235), « *Au Musée du Louvre* » de Degas, « *Paysage sous bois* » de Pissarro montrent avec cette planche une parenté évidente dans le bouleversement des techniques de gravures. Pensons, devant ces ombres et ces lumières sculptées dans la masse, que l'académisme reconnu restait encore de croiser les tailles de burin ou, à la rigueur, d'eau-forte et que l'aquatinte était suspectée d'être un procédé mécanique.

289

La Visiteuse (En visite), *vernis mou, aquatinte et pointe sèche*, v. 1881 (Breeskin 34) troisième état sur 5, avant d'autres travaux de pointe sèche. — B.N., Estampes, anc. coll. Strölin.

C'est peut-être dans cette planche que la parenté avec Degas est la plus évidente. L'abondance des travaux, la simplicité du geste et des attitudes, la brutalité des lumières, tout

rapproche cette œuvre des essais que Degas poursuivait dans le même sens. C'est la période la plus impressionniste de Mary Cassatt, qui fit ensuite des pointes sèches au trait plus personnelles, mais aussi plus décoratives, et moins soucieuses d'effets impressionnistes que de souplesse de la ligne pure. Mary Cassatt a raconté elle-même (lettre à Mrs Havemayer, citée par Breeskin p. 12) sa fascination pour les œuvres de Degas, vraisemblablement à cette époque (v. 1879-80) : « *Comme je me rappelle bien avoir vu pour la première fois les pastels de Degas à la vitrine d'un marchand de tableaux du boulevard Haussmann. J'allais souvent coller mon nez à cette vitrine et absorber tout ce que je pouvais de son art. Cela a changé ma vie. Je voyais l'art, alors, tel que je voulais le voir* ».

290

THE MAP OU THE LESSON (LA LECTURE), *pointe sèche*, 1890 (Breeskin 127), 3e (dernier) état. — B.N., Estampes.

Une des rares planches de Mary Cassatt publiées (et peut-être exécutée pour être publiée). Elle parut dans la revue de Durand-Ruel, « *L'Art dans les Deux Mondes* », le 22 novembre 1890.
    La décomposition du sujet par la pointe sèche rigide préfigure certaines planches de Jacques Villon. L'évocation de la feuille que regardent les deux petites filles est obtenue par un seul trait rectiligne. La composition autour de la courbe qui figure la table montre combien Mary Cassatt sut dépasser les délicats équilibres du japonisme et, avec la même simplicité, obtenir des effets synthétiques appelés à un si grand avenir. On comprend que Gauguin ait été lui aussi attiré par le dessin de Mary Cassatt, comme le fut sans doute Cézanne, si jamais il vit cette gravure. Gauguin déclarait que Miss Cassatt avait autant de charme que Berthe Morisot, mais qu'elle avait plus de force. Ce dessin en est une preuve remarquable.

291

BABY'S BACK, *pointe sèche*, 1890 (Breeskin 128), 3e (dernier) état. — B.N., Estampes.

Très différente de sa première manière où la planche est couverte de travaux peu orthodoxes, Mary Cassatt, vers 1885, abandonne le vernis mou, l'aquatinte et les travaux de grattage pour confiner son dessin dans la pureté de la ligne de la pointe sèche. Le motif est réduit à une ligne et toute sa valeur dépend de la justesse de celle-ci et du respect de l'observation de la réalité qu'elle synthétise. Exercice difficile et auquel l'artiste s'est volontairement contrainte. La composition, avec l'enfant de dos cachant en partie le visage de sa mère, reste dans le goût impressionniste, ainsi que le souci de respecter une attitude coutumière, et l'opposition ténue d'ombres profondément entaillées à la pointe sèche et de lignes où le cuivre est à peine égratigné. Là encore, Mary Cassatt s'est inventé une technique originale et complexe pour donner une impression de spontanéité et de simplicité. La précision de l'impression produite est l'effet de l'imprécision des traits, multipliés, comme à gauche, ou inachevés, comme le pied droit du bambin.

292

HEAD OF CELESTE, *pointe sèche*, 1899 (Breeskin 165). — B.N., Estampes, seule épreuve connue, anc. coll. Strölin.

L'œuvre gravée de Mary Cassatt compte un très grand nombre de portraits, généralement d'enfants ou de jeunes filles — que nous avons choisi d'évoquer par cette *Tête de jeune fille*, très tardive, mais dont la Bibliothèque nationale a la chance de posséder la seule épreuve connue, avec l'inscription autographe de l'auteur « *tirée à deux* ».

292

293-294

LE BANJO (THE BANJO LESSON), *pointe sèche et aquatinte en couleur* (Breeskin 156), 3ᵉ état (?) à la pointe sèche, seule avant la couleur, et 4ᵉ état en couleurs. — B.I.A.A., anc. coll. Doucet.

Adelyn D. Breeskin a clairement exposé, dans son catalogue raisonné de l'œuvre de M. Cassatt, comment celle-ci procédait pour obtenir un résultat si parfait : elle reportait un dessin sur trois planches de cuivre différentes, et sur chacune d'elle, le gravait à la pointe sèche. Puis elle « vaporisait » l'aquatinte sur les surfaces à colorer. Enfin elle encrait elle-même à la poupée les trois planches. La collection de la Bibliothèque de l'Institut d'art et d'archéologie a la chance de posséder un tirage en noir du dessin seul de cinq estampes en couleurs (17 au total). Il existe pas de dessin de couleur préparatoire et fort peu d'épreuves d'essai, quelques-unes à la New York Public Library (coll. Avery), mais la plupart dans la collection Rosenwald (Jenkintown). Pour cette planche cependant, A. Breeskin signale une composition similaire au pastel (coll. Mrs. J. Cameron Bradley). Il existe ensuite générale-ment plusieurs états de la planche en noir seule, des contretypes, des tirages d'essai avec décomposition de couleur (très rares) et souvent deux ou plusieurs états du tirage final en couleurs. Il ne faut cependant pas confondre ces états avec les inévitables différences d'encrage. La couleur était appliquée à la poupée par Mary Cassatt elle-même qui variait les effets, plus ou moins légers, sur chaque épreuve.

295-296

BAIN D'ENFANT (THE BATH ou THE TUB), *vernis mou, pointe sèche, et aquatinte en couleurs*, 1891 (Breeskin 143), 3ᵉ état (?) de la première planche seule, et 11ᵉ (dernier) état avec les trois planches. — B.I.A.A., anc. coll. Doucet.

Cette première planche de la série de 10 aquatintes en couleur de 1891 est aussi la plus japonisante : celle qui sacrifie le plus au respect de la surface, à l'arabesque de la ligne, à l'économie du motif. Pour que la ligne soit à la fois plus large et plus tendre (imite le bois?), Mary Cassatt a eu recours au vernis mou pour tracer le dessin en noir, trait qui n'est que repris à la pointe sèche. Elle utilisa encore cette double technique pour cinq planches de la série. Pour imiter l'encre très fluide des japonais, légère et claire, elle n'avait à sa disposition que l'encre grasse des taille-douciers, opaque et très impropre à ce style. C'est une difficulté sur laquelle achoppaient alors les japonisants. Mary Cassatt est la seule à avoir trouvé la solution : elle se sert de l'encre ordinaire, mais son secret réside dans la finesse et la régula-rité de son grain d'aquatinte, si parfait qu'il offre un support léger à l'encre et presque plat, la trame en étant presque invisible. On a cru, tant la technique est parfaite qu'il s'agissait de vernis mou. Mais Mary Cassatt s'est expliquée elle-même, et deux fois, sur ses méthodes, insistant sur le fait qu'elle n'utilisait que la pointe sèche, l'aquatinte à la vapeur, et l'encre de tout le monde, chose que ses confrères moins patients ou moins habiles avaient peine à croire. Pissarro, fasciné par le résultat qu'il cherchait depuis des années, ne s'y est pas trompé. « *Tu te rappelles des essais que tu as faits à Éragny ; et bien, Miss Cassatt l'a réalisé admirablement, le ton mat, fin, délicat, sans salissures ni bavures : des bleus adorables, des roses frais, etc. Que nous manquait-il donc pour réussir?... de l'argent... oui, un peu d'argent. Il fallait des cuivres, une boîte à grain, c'est assez encombrant mais absolument nécessaire pour avoir des grains uniformes et imperceptibles, et un bon imprimeur. Mais le résultat est admirable, c'est aussi beau que les Japonais, et c'est de la couleur à imprimer !* » (Lettre à Lucien, 3 avril 1891.)

  « *Je suis allé voir, avant de quitter Paris, Miss Cassatt. Je l'ai vue imprimer ses aquatintes en couleurs ; elle procède comme nous avons fait, seulement elle ne se sert pas de couleurs pures, elle mélange ses tons, ce qui lui permet de n'avoir besoin que de deux planches. Il y a à cela un inconvénient, de n'avoir pas de tons francs et lumineux ; les tons sont passés et jolis tout de même* ». (Lettre à Lucien, 25 avril 1891.)

297

LE BAISER MATERNEL (MOTHER'S KISS), *pointe sèche et aquatinte en couleurs*, 1891 (Breeskin 149), 4ᵉ (dernier) état. — B.I.A.A., anc. coll. Doucet.

C'est la dernière œuvre de la série des dix aquatintes en couleurs. Cette suite constitue le sommet de son œuvre, ce qui, en tout cas, en est la pièce la plus célèbre. Mary Cassatt avoue que son projet primitif est de rivaliser avec les Japonais, mais, ajoute-t-elle, « *prudemment, j'ai abandonné cela quelque peu après la première planche et essayé davantage pour l'atmosphère* ». En fait toutes les planches se ressentent fortement de la ligne japonaise, mais peut-être, comme le souligne A. Breeskin, la première planche est-elle plus japonisante que les autres; l'effet de deux dimensions est accentué et traité en silhouette. On retrouve ce souci de l'arabesque et de l'à-plat très prononcé dans au moins deux autres planches : *La Toilette (Woman bathing)* et celle exposée, où l'économie des motifs est particulièrement sensible.

298

CARESSE MATERNELLE (MATERNAL CARESS), *vernis mou, pointe sèche et aquatinte en couleurs*, 1891 (Breeskin 150), 3ᵉ (dernier) état. — B.I.A.A., coll. Doucet.

La série de dix aquatintes fit connaître Mary Cassatt. Le public ne se rendit compte des recherches et des résultats de cette artiste éminemment consciencieuse qu'à son exposition d'avril 1891, chez Durand-Ruel, parallèle à celle des Peintres-Graveurs français. Elle n'avait jusqu'alors exposé qu'aux Salons et aux expositions impressionnistes. Elle montrait dans cette première exposition personnelle quatre toiles et cette série de dix gravures en couleurs, qui fut certainement achevée, sinon entreprise, en vue de cette exposition. Dégagée de soucis d'argent, Mary Cassatt, moins encore que ses amis, se souciait de vendre ses gravures. Elles sont aujourd'hui rarissimes, même celles de cette série, tirée à 25 exemplaires seulement.

Celle-ci est la 8ᵉ; on peut la comparer à la précédente pour comprendre combien dans un sujet analogue, Mary Cassatt cherchait à varier les effets pour obtenir ce qu'elle nomme « l'atmosphère ». Au lieu du dépouillement japonisant, elle a traité une composition équilibrée, plus chargée, plus réaliste que décorative.

299

LA TOILETTE (WOMAN BATHING), *pointe sèche et aquatinte en couleurs*, 1891 (Breeskin 148), 5ᵉ (dernier) état. — B.N., Estampes.

Les épreuves des dix aquatintes en couleurs conservées à la Bibliothèque nationale ont un éclat plus faible que celles de la Bibliothèque de l'Institut d'art et d'archéologie.Elles portent la mention manuscrite « édité à 25 épreuves, impression par l'artiste et M. Le Roy ». Mary Cassatt a voulu que figure avec justice le nom de l'habile imprimeur — ancien de chez Cadart — qui l'assista dans cette entreprise si délicate : pose de l'aquatinte, pose des couleurs, repèrage minutieux; ces planches auraient été impossibles sans lui. Certes Mary Cassatt travailla elle-même au tirage, huit heures par jour, et posa elle-même les couleurs, variant — dit-elle — parfois de manière. Mais elle avoue aussi qu'en commençant ce travail, elle « *était entièrement ignorante de la méthode* ». La mention qu'elle apposa est donc pleinement justifiée.

300

UNDER THE HORSE CHESTNUT TREE (SOUS LE MARRONNIER), *pointe sèche et aquatinte en couleurs*, v. 1898 (Breeskin 162). — B.N., Estampes.

On ne connaît qu'un seul état et peu d'épreuves de cette aquatinte dont la Bibliothèque

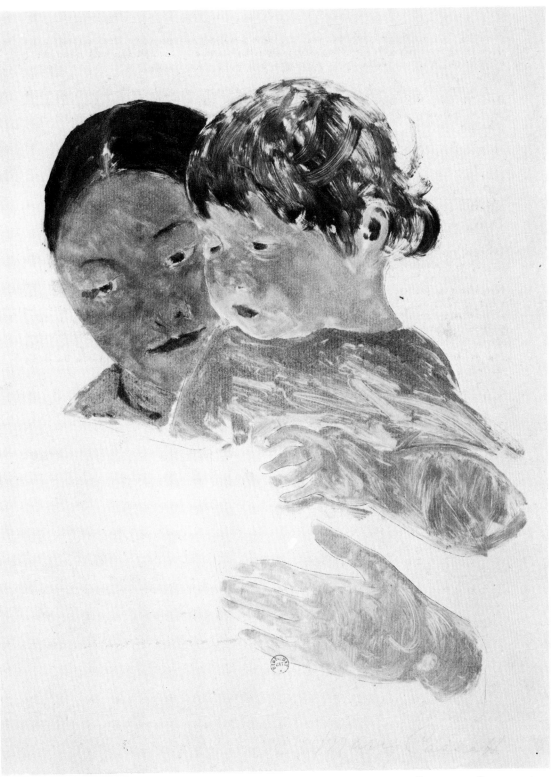

Femme et enfant, monotype

nationale possède deux exemplaires. C'est l'une des rares gravures que Mary Cassatt situe dans un décor extérieur. Sa composition surtout est remarquable, et l'influence japonaise s'efface au profit de celle de la photographie, dont « l'instantané » du dessin reprend l'esthétique.

Il semble que ce soit là une des dernières gravures en couleurs de Mary Cassatt, la dernière selon Miss Breeskin, qui la situe vers 1898. Elle marque l'achèvement d'un art dont « Le Bain » était le début, à une époque où la gravure en couleurs est devenue chose populaire.

301
L'ALBUM, *monotype en couleurs* (après 1877). — B.I.A.A.

302
FEMME ET ENFANT, *monotype en couleurs* (après 1877). — B.N., Estampes.

On peut présumer que c'est après avoir vu ceux de Degas, et peut-être informée par lui, que Mary Cassatt réalisa ces monotypes.

L'époque à laquelle elle rencontra Degas coïncide avec celle à laquelle celui-ci s'adonna largement au monotype, c'est-à-dire après 1874. Selon les souvenirs recueillis par A. Segard, c'est en 1874 que Tourny entraîna Degas à voir un tableau de Mary Cassatt exposé au Salon (Degas aurait dit : « *En voilà une qui sent comme moi* ») et en 1877 que Degas alla la solliciter d'exposer avec les Impressionnistes. Elle accepta avec joie, mais n'exposa qu'à partir de la 4e exposition (1879). C'est à la troisième (1877) que Degas exposa ses « *Dessins faits à l'encre grasse et imprimés* ». La sympathie et même l'admiration mutuelle des deux artistes explique assez cette tentative de Mary Cassatt.

XXIV. LA SOCIÉTÉ DES PEINTRES-GRAVEURS

Depuis que certains peintres ont réutilisé l'eau-forte, vers 1855, et depuis l'expérience de Cadart, nous avons suivi les voies parallèles, souvent secrètes, toujours isolées des peintres-graveurs impressionnistes. Ils n'exposèrent que fort peu leurs estampes dans les expositions du groupe. D'une part, ils savaient que l'estampe n'intéressait personne, et que c'eût été prendre un risque en plus de ceux qu'ils prenaient déjà ; d'autre part — et c'est peut-être une conséquence — ils exécutaient leurs estampes à titre d'exercice personnel, sans souci de les montrer ni de les vendre. La situation cependant évolua lentement, sans qu'on puisse mesurer exactement en quoi ils en sont responsables. C'est vers 1890 que les acheteurs vinrent à l'estampe ; Léonce Bénédite songe à ouvrir au Luxembourg une salle d'exposition spéciale pour l'estampe, les journaux en parlent, les artistes enfin ne poursuivent plus seuls leurs expériences, ils se multiplient, se groupent, se montrent, s'initient. Ils se groupent évidemment autour de vieux spécialistes, de ceux qui savent la technique, ont une presse, et aiment à faire partager leur atelier, à présenter aux imprimeurs des jeunes recrues. Les deux principaux praticiens nous les connaissons : Bracquemond et Guérard. L'intérêt porté à l'estampe cristallisa autour d'eux, et fut officialisé en 1889 par la Société des Peintres-Graveurs, dont ils furent respectivement président et vice-président. Ils regroupent leurs amis pour exposer, enfin, des estampes au même titre que les dessins et les toiles et à côté d'elles. C'est là, en 1889 et 1890 que culmine, s'achève aussi, l'histoire de l'estampe impressionniste avec un peu de retard — dû à la difficulté encore plus grande de trouver du public — sur celle de la peinture.

La première exposition des Peintres-Graveurs fut en effet une sorte de feu d'artifice, une synthèse, une promesse aussi puisqu'elle regroupait les anciens et les jeunes ; ceux qui avaient travaillé seuls trouvaient là, tardivement, un lieu public ; parmi eux, outre Bracquemond et Guérard, les organisateurs, étaient présents : Appian, Fantin-Latour, Desboutin, Legros, Degas, Pissarro, Mary Cassatt, Seymour Haden. Mais à côté, on voyait les hommes plus jeunes, les graveurs qui allaient devenir « à la mode », Félix Buhot, Norbert Goeneutte, Odilon Redon, et les surprenantes pointes sèches de Rodin. A la seconde exposition (1890), se retrouvaient les mêmes avec un nouveau graveur, Sisley, qui exécuta pour

305

A. Sisley

306

A. Sisley

cette exposition ses quatre seules eaux-fortes. La troisième vit une scission : les étrangers étaient séparés des Français.

On a dit que c'était là la raison du départ de Pissarro et de Mary Cassatt qui, cette année-même, 1891, exposent seuls chez Durand-Ruel. A côté de ceux que Pissarro nomme par dérision « les patriotes », apparaissent alors ceux qui prennent dans l'Impressionnisme un système d'écriture violent et elliptique, Forain, Zorn, Paul Renouard. En 1893, la 5e exposition est constituée telle qu'elles le sont encore de nos jours : un hommage à un ancien — c'est Manet, naturellement qui fit l'objet de cette première rétrospective — une section d'invités où l'on teste les jeunes talents : c'est là qu'apparaît Toulouse-Lautrec, et enfin les sociétaires dont Lautrec fera partie lors de la 6e exposition en 1896.

Alfred SISLEY

303-304-305-306
LE LOING A MORET, *quatre pointes sèches*, 1890 : LA CHARETTE (L.D. 1). — B.N., Estampes, anc. coll. Béjot; LA MAISON AU BORD DE L'EAU (L.D. 3). — B.N., Estampes, anc. coll. Béjot.
LA RIVE (L.D. 4). — B.I.A.A.; SIX CANNOTS AMARRÉS (L.D. 2). — B.I.A.A., anc. coll. Doucet.

A part « *La Charette* » dont il existe des retirages, les quatre seules eaux-fortes de Sisley sont rarissimes et demeurèrent mystérieuses jusqu'à ce que leurs zincs soient retrouvés en 1972, dans l'atelier d'Henri Guérard, et offerts par Mme Guérard au Cabinet des estampes. On sait que ces quatre paysages furent exposés en 1890 à la 2e exposition des Peintres-Graveurs, et le fait qu'ils soient restés chez Guérard, qui en fit vraisemblablement le tirage, confirme l'hypothèse que ces œuvres n'ont été faites qu'en vue de cette exposition, Guérard, qui en était la cheville ouvrière, prenant volontiers en charge le tirage ou les encadrements. Est-ce lui qui a invité Sisley à graver, et qui lui a donné des conseils? Puisque Renoir fut aussi sollicité, on peut penser que l'un des organisateurs battait le rappel de ceux des peintres impressionnistes qui n'avaient pas encore touché la pointe. Le but de l'exposition était de montrer des gravures avec des peintures et de souligner l'idée que la gravure est un art aussi original que la peinture, demandant plus d'invention que de métier. Les zincs retrouvés montrent que Sisley dut se contenter des plaques de la plus médiocre qualité et que la morsure est très légère, que les plaques mal aplanies s'essuient mal et laissent un voile d'encre peut-être non voulu par l'artiste. Puisqu'il n'a pas réitéré l'expérience, il faut considérer ces essais de Sisley dans la gravure, ainsi que ceux de Cézanne, comme purement circonstanciels.

Auguste RODIN

L'œuvre de Rodin ne compte qu'une douzaine de pointes sèches. Les premières furent exécutées par hasard, lorsque Rodin travaillait à Londres avec Legros, en 1881, et certainement sous l'influence de ce dernier. Elles ne furent connues qu'au Salon de la Société nationale des beaux-arts en 1901. Puis, viennent les portraits de Victor Hugo, de Henri Becque et d'Antonin Proust. C'est le portrait de *Victor Hugo vu de trois quarts* que Rodin exposa avec les Peintres-Graveurs, à leur première exposition de 1889. C'était une recrue

307

de marque et qui apportait à la gravure la même fougue qu'à ses sculptures dans le plus pur esprit impressionniste. Le *Victor Hugo vu de trois quarts* a été gravé au revers d'un cuivre qui portait l'*Étude de figures* de 1881 (R. Marx, 2), Il n'y en a qu'un seul état (quoique R. Marx en distingue trois, avec ou sans la lettre). Il fut en outre publié dans L'*Artiste* en février 1885, alors que le *Victor Hugo de face* (même remarque que pour l'autre en ce qui concerne les états) était publié dans la *Gazette des beaux-arts* en mars 1889. Les Goncourt ont raconté (*Journal*, VII, 227) comment Rodin passa de longues heures à observer Victor Hugo et à exécuter des croquis d'expression d'après nature dans l'intimité du poète.

Les gravures de Rodin sont très mal étudiées. Il estimait pourtant suffisamment ces pointes sèches, comme les lithographies qu'il fit exécuter chez Clot d'après ses dessins, pour en autoriser la publication et même les exposer comme ce fut le cas en 1889.

307
PORTRAIT DE VICTOR HUGO, DE TROIS-QUARTS *pointe sèche*, 1885 (L.D. 6), épreuve dédicacée *A mon cher ami et maître Legros, A. Rodin.* — B.N., Estampes, anc. coll. Béjot.

308
PORTRAIT DE VICTOR HUGO, DE FACE, *pointe sèche*, 1885 (L.D. 7). — B.N., Estampes, anc. coll. Strölin.

310. — A. Renoir, la Danse à la campagne.

XXV. RENOIR

Les estampes de Renoir se situent en marge de l'Impressionnisme, ou plutôt en conclusion. En ce domaine, il fut le seul Impressionniste à ne pas être un précurseur. Étranger à l'estampe tant que celle-ci fut ignorée du public, il s'y adonna à l'époque tardive où elle fut reconnue, exposée et vendue. Nous avons vu que ce succès public se manifeste d'abord vers 1890 avec les expositions de la Société des Peintres-Graveurs, c'est alors que Renoir exécute ses premières pointes sèches. En 1895, c'est le début du succès de la lithographie en couleurs, et Renoir fut sollicité par des éditeurs. Son œuvre lithographique commence donc par de grandes planches aux couleurs vives qu'affectionnait alors le public et qui, curieusement, sont demeurées très surestimées de nos jours. (*Le Chapeau épinglé* par exemple, œuvre médiocre mais signée du maître). Il ne faut pas non plus décrier tout l'œuvre de Renoir sous le prétexte facile du tard-venu et d'une sincérité plus suspecte. On trouve dans sa cinquantaine d'estampes des innovations incontestables, mais toujours en noir et blanc. Jusqu'au bout, avec l'exception de Mary Cassatt, la couleur aura résisté aux Impressionnistes de l'estampe, et même dans ce dernier essai avec le plus violent de leurs coloristes. En noir et blanc donc, Renoir sut manier la pointe sèche, mais ses planches les plus originales restent dans deux techniques très spéciales : le vernis mou et le lavis lithographique. Notons que ce sont là deux techniques essentiellement de dessinateur et non de graveur ; les peintres ayant pris à cette époque l'habitude de se faire assister d'un praticien pour la partie technique du travail (pose du vernis, morsure, report sur pierre).

309
FRONTISPICE POUR « PAGES » DE MALLARMÉ, *eau-forte*, état unique, 1889 (L.D. 3). — B.N., Imprimés.

Le livre de Mallarmé parut chez D. Deman, à Bruxelles en 1891, mais Renoir utilisa des dessins de 1887 pour tracer cette eau-forte, qui étaient intitulés *Vénus*. L'eau-forte était exécutée avant 1890 puisqu'il fut à cette date sollicité pour exposer avec les *Peintres-Graveurs*, et qu'il répondit : « *J'ai une unique eau-forte, qui appartient à Mallarmé ; demandez-la lui si vous voulez, c'est fort peu de choses* ».
Il faut donc inverser l'ordre chronologique indiqué par Delteil, et voir là le tout début de Renoir dans la gravure, avant les deux planches de « *La Danse à la campagne* » qu'il exécuta d'après des tableaux.

155

310

LA DANSE A LA CAMPAGNE, 2ᵉ planche, *vernis mou*, v. 1890. — B.N., Estampes, don Vollard.

On ignore les raisons qui ont conduit Renoir à reprendre la gravure, après son essai suscité par Mallarmé et Berthe Morisot. Les deux planches de *La Danse à la campagne* sont sans doute contemporaines de ces premiers essais. Renoir essaya la technique du vernis mou, plus proche de ses goûts de dessinateur, aimant jouer sur le grain du papier. Un premier essai (L.D.1), dont l'unique épreuve est conservée à l'Art Institute de Chicago, fut un échec. On sait que la technique du vernis mou est très délicate et on ne s'étonne pas du médiocre résultat, trop irrégulièrement et superficiellement mordu par l'acide. Le second essai fut réussi. Renoir avait utilisé le motif déjà deux fois traité en peinture, vers 1883, pendant de « *La Danse à la ville* ». Un des deux tableaux a été récemment présenté à l'exposition *Cent ans d'impressionnisme* chez Durand-Ruel (coll. Durand-Ruel). L'autre est au Musée de Boston. Il existe de nombreux dessins de ce sujet (cf. J. Rewald, *Renoir drawings*, nᵒˢ 13, 15, 16, 17, 18, Vollard, nᵒˢ 53 et 77), tous de 1883. C'est Suzanne Valadon et Edmond, frère de Renoir, qui servirent de modèles à ces études.

311

PORTRAIT DE BERTHE MORISOT, *pointe sèche*, v. 1890 (L.D. 4). — B.N., Estampes anc. coll. Duret.

Un des rares documents contemporains publiés sur les gravures de Renoir est le passage d'une lettre de Berthe Morisot : l'été 1887, dans sa maison des Plâtreries où, entre Sannois et Valvins, il reçoit Berthe Morisot et son beau-frère Eugène Manet, « *Mallarmé projette de faire illustrer ses poèmes en prose par ses amis peintres* », et la couverture portant le titre « *Le Coffret de laque* » est confiée à Lewis Brown. Renoir doit illustrer *Le Phénomène futur*, Berthe Morisot, *Le Nénuphar blanc*. Degas et Monet doivent aussi avoir chacun leur poème à illustrer. Aux appels de Berthe Morisot et de Renoir, Mallarmé répond : « Serai là jeudi avec la page à illustrer ». Mais le projet ne sera jamais réalisé, et seul, Renoir fera son illustration avec laquelle le volume paraîtra sous le titre de *Pages*.

312

FEMME NUE COUCHÉE, TOURNÉE A DROITE (1ʳᵉ planche), *pointe sèche* (L.D. 13), 1906. — B.N., Estampes, don Vollard.

313

FEMME NUE COUCHÉE, TOURNÉE A DROITE (2ᵉ planche), *pointe sèche* (L.D. 14), 1906. — B.N., Estampes, anc. coll. Duret.

314

FEMME NUE COUCHÉE, TOURNÉE A GAUCHE, *pointe-sèche* (L.D. 15), 1906. — B.N., Estampes, anc. coll. Duret.

Cette suite de 1906 nous montre comment Renoir retrouve, bien après la grande époque où les graveurs impressionnistes torturaient leurs planches sous les divers procédés, le goût de la recherche, du procédé pour lui-même. Comme en lithographie, il est rarement satisfait du premier essai, ou plutôt cet essai lui donne envie de reprendre aussitôt le même motif avec un outil différent. Cette démarche est caractéristique des Impressionnistes; on pourrait croire qu'elle est due principalement au fait qu'ils étaient dégagés de tout espoir de reproduction, de diffusion, d'édition de la gravure, ce qui les maintenait dans l'expé-

312

313

314

316

rience technique pure, exécutée pour elle-même. Or, Renoir n'est pas dans cette situation en 1906; néanmoins il retrouve l'esprit impressionniste de la gravure considérée comme une manière un peu compliquée de dessin.

Ces planches ont été abondamment tirées, et le sont encore, particulièrement la deuxième.

315

Baigneuse assise, 1re planche, *vernis mou*, v. 1905 (L.D. 11). — B.N., Estampes, Vente Demany, 7 février 1957.

316

Baigneuse assise, 2e planche, *vernis mou*, v. 1906 (L.D. 12). — B.N., Estampes, anc. coll. Duret.

317

Étude pour une baigneuse, *pointe sèche*, v. 1906 (L.D. 16). — B.N., Estampes, don Vollard.

A part les dix planches exécutées en différentes occasions dans les années 1890, Renoir ne pratiqua la gravure qu'après 1905. A cette époque très tardive, il aime reprendre des dessins anciens qu'il retrace à la pointe sèche ou au vernis mou, vraisemblablement après des commandes d'éditeurs, car alors les Impressionnistes sont célèbres. Beaucoup de ces gravures n'ont qu'un intérêt secondaire, mais ont retrouvé la sensibilité du dessin de Renoir. Dans ces esquisses des *Baigneuses*, les deux premières reprennent, au vernis mou, un dessin de 1881. Renoir est parfaitement à l'aise dans cette technique difficile. Ces vernis mous comptent parmi les plus grandes réussites du genre : on y retrouve même le grain et les vergeures du papier sur lequel Renoir a dessiné, car au départ, le vernis mou n'est qu'un dessin ordinaire qui est en quelque sorte, décalqué sur le vernis; c'est peut-être aussi cette possibilité — l'absence de gravure par le dessinateur — qui encouragea Renoir dans cette voie convenant à son style vaporeux. La 2e planche fut retirée pour illustrer l'édition de luxe de *La Vie et l'œuvre de P.-A. Renoir* par Vollard (1919) et la 3e, en 1918 pour l'édition de luxe de *Tableaux, pastels et dessins de P.-A. Renoir*, par Vollard.

318

Baigneuse debout, en pied, *lithographie en couleurs*, 1896 (L.D. 28). — B.N., Estampes.

Cette œuvre célèbre pourrait donner une bien fausse idée de ce que fut l'estampe impressionniste. Exécutée en couleurs, d'un seul état, sur commande, à une époque ou l'Impressionnisme est déjà devenu classique, elle est le contraire même de ce que furent les estampes impressionnistes de 1874. La vogue de l'estampe qui se situe surtout pour l'estampe en couleurs après 1895, n'a pas coïncidé avec l'Impressionnisme, dont les estampes sont en noir et blanc, et demeurent inédites. C'est donc un Renoir conventionnel qui apparaît ici, aux couleurs accrocheuses, au dessin facile, comme dans ses autres lithographies en couleurs, imprimées et peut-être mises sur pierre par l'atelier Clot. C'est la belle époque de l'estampe en couleurs, qui produisit un grand nombre d'œuvres commerciales, demandées par les éditeurs et le goût du grand public qui voulaient de la couleur et des sujets aimables. Toute époque de grande production d'estampes ne peut échapper à ce commercialisme, où l'estampe revient à son principe premier : la reproduction. Il n'y a pas, entre cette estampe de Renoir et les reproductions de Thornley mises au point par Degas, de différence de nature. Mais Degas avait derrière lui déjà un œuvre de graveur, au lieu que Renoir, désormais célèbre et sollicité, signe là ses premières lithographies. Celle-ci est en fait la seconde qu'il ait exécutée. La première *(Pierre Renoir de face)* avait été faite sur une commande de Marty, directeur de *l'Estampe originale*, qui la publia en octobre 1893.

319

319
ÉTUDE DE FEMME NUE ASSISE (première planche,) *lithographie*, 1904 (L.D. 42). — B.N., Estampes, don Vollard.

320
ÉTUDE DE FEMME NUE ASSISE (deuxième planche), *lithographie*, 1904 (L.D. 43). — B.N., Estampes, don Vollard.

Ces deux œuvres montrent que, malgré l'exploitation commerciale de l'estampe impressionniste, elle n'a pas perdu son caractère de recherche sauvage et d'amour de la matière et de la technique. En 1904, Vollard commanda à Renoir une série de 12 lithographies en noir et blanc (L.D. nos 37 à 48), qu'il publia en album en 1919.

Jusqu'alors, Renoir n'a exécuté que des lithographies en couleurs de grand format, dans le goût du jour. Son album en noir et blanc est plus sincère ; il comporte des portraits de proches : Vollard, Valtat, Claude Renoir, une étonnante suite de la « *Femme au cep de vigne* » traitée en cinq planches de techniques différentes (crayon, lavis et même plume) d'un dessin très moderne, et ces deux très belles études où Renoir semble avoir voulu épuiser les ressources de la pierre en la travaillant principalement au lavis ce qui avait été jusqu'alors peu employé.

324. — B. Morisot, Autoportrait avec sa fille.

XXVI. BERTHE MORISOT

On ignore dans quelles circonstances exactes Berthe Morisot exécuta ses rares gravures : huit pointes sèches qui semblent d'un art homogène et d'une même période. Ni ses catalogues, ni sa correspondance ne nous donnent de renseignements précis. Elles existent cependant, et plusieurs fois tirées, même de façon posthume. Le Cabinet des estampes en conserve deux séries (tirages différents, celui exposé, sur papier blanc, nettement supérieur à l'autre, trop encré, sur papier jaune). M. Adhémar, frappé par la ressemblance de certaines avec l'art de Renoir, suggère qu'elles furent exécutées dans le même projet qui les avait réunis pour illustrer les poèmes de Mallarmé. Il s'appuie sur des passages de la correspondance de Berthe Morisot avec Mallarmé, où il apparaît que Berthe Morisot avait entrepris d'illustrer le poème en prose « *Le Nénuphar blanc* », publié en 1885 dans « *L'Art et la mode* », avant de faire partie du recueil « *Pages* ». « *Berthe Morisot, qui doit illustrer Le Nénuphar blanc, songe à la difficulté d'interpréter Mallarmé* » (Henri Mondor, *Vie de Mallarmé*, p. 521). En 1887 elle écrit à Mallarmé : « *Renoir et moi sommes très ahuris, nous avons besoin d'explications pour les illustrations* ». On sait que Mallarmé avait proposé à plusieurs de ses amis peintres d'illustrer son recueil *Le Miroir de laque*, qui devait finalement paraître sour le titre *Pages*, chez Deman en 1891 avec une seule illustration : le frontispice de Renoir (cf. notre nº 309). En 1888 « *On annonce dans les Poèmes de Poe traduits par Mallarmé, parus chez Deman, que chez Deman paraîtra Le Miroir de laque illustré par Degas et Berthe Morisot* » (H. Mondor, p. 543). Or, si les pointes sèches de Berthe Morisot ne furent pas ainsi publiées, il semble qu'elle en ait réalisé à cette époque puisqu'au début de 1889, Mallarmé lui écrit : « *L'exposition des Peintres-Graveurs présente des riens exquis. Je sais deux pointes sèches qui y devraient être appendues... Monet, que le Nénuphar blanc aux fameux trois crayons a charmé, vous imite et fait une illustration pour mon livre* ». Peu après Berthe Morisot lui confie : « *Je reste toujours inquiète du Nénuphar blanc.* » On peut rattacher à ce projet les deux pointes sèches qui ne sont pas faites d'après des tableaux; ce sont aussi celles qui sont les plus propices à l'illustration du poème. Les autres dérivant aussi d'œuvres datées des années 1885-88, on peut penser que toutes les pointes sèches ont été exécutées vers 1888-1889, en relation étroite avec Renoir.

Huit pointes sèches, v. 1889. — B.N., Estampes, anc. coll Strölin.

321
Nu de dos.

Reproduit un tableau de 1885 (B.-W. 169), ou le fusain qui lui servit d'étude, exécuté dans la salle de bain de la rue de Villejust d'après un modèle professionnel. Cette pointe sèche est citée avec le tableau, dans le catalogue Bataille-Wildenstein sous le titre *Avant le bain*.

322
Julie Manet au chat.

Cette pointe sèche atteste le travail en collaboration avec Renoir, puisqu'elle reproduit l'un de ses tableaux (catalogue Vollard, nº 356, daté vers 1890). On peut la rattacher aussi à une suite d'études de 1885. Julie Manet est la fille de Berthe Morisot qui avait épousé Eugène, frère d'Édouard Manet.

323
Jeune fille accoudée.

Reproduit, en l'inversant, une peinture datée de 1887 (B.-W. 213). Le catalogue cite cette pointe sèche. Il existe aussi un fusain et une sanguine pour lesquels avait posé le modèle Jeanne-Marie.

324
Berthe Morisot et sa fille (ou la Leçon de dessin).

Des peintures représentent Berthe Morisot et sa fille Julie (B.-W. 126, de 1883, 167, de 1885, 177, etc.), mais aucune n'est proche de cette pointe sèche. Elle reproduit un dessin exposé en 1941 à l'Orangerie (nº 235) et daté de 1887.

325
Canard et roseaux.

Ne se rapprochant d'aucune autre œuvre connue de l'artiste, c'est sans doute un projet pour *Le Nénuphar blanc*. Son format et sa disposition en hauteur l'y prédisposent, ainsi que son caractère proche du numéro suivant, qui serait l'autre pointe sèche dont parle Mallarmé. Cette dernière est présentée comme une étude pour le *Nénuphar blanc* dans le petit catalogue de l'exposition Mosirot à l'Orangerie en 1941, où ces pointes sèches étaient présentées, et dont nous reprenons les titres.

326
Le Lac du bois (arbuste au bord de l'eau).

L'arbuste apparaît dans plusieurs feuillets d'albums. La même étude est transposée quatre fois en pastels (B.-W. nᵒˢ 486, 487, 488, 489). L'arbre roux est le sujet d'une aquarelle assez proche, en sens inverse, datée de 1888 (B.W.- 768). Ce sont sans doute des études au bois de Boulogne, près duquel habitait Berthe Morisot. Mondor raconte, sans doute d'après la préface de Valéry au catalogue de l'exposition de 1941, comment Mallarmé « *habitué de la forêt de Fontainebleau, affecte de ne pas beaucoup admirer les allées encombrées et les bosquets sans profondeurs où Berthe Morisot trouve beauté et inspiration* ».

321

322

325

326

327
CYGNE ET CANARD.

Motifs utilisés dans deux tableaux de 1884 (B.-W. 146-147), et qui se rattachent à une suite de recherches de 1885 (pastel, B.-W. 491).

328
L'OIE.

Reproduit, en l'inversant, une aquarelle de 1885 (B.-W. 715). Étude légèrement différente de la toile sur le même sujet, 1885 (B.-W. 179).

XXVII. DIFFUSION DU STYLE

En 1874, date de la première exposition impressionniste, un certain nombre de jeunes artistes, ou d'artistes plus jeunes que les exposants, se montraient prêts à suivre cette voie. Les premières gravures de Forain, de Goeneutte, de Buhot, datent de cette période. Lorsqu'ils furent connus, ils bénéficièrent de plus d'indulgence de la part du public, mais leur art n'avait plus le privilège de l'innovation. Ce sont donc des œuvres secondaires, historiquement, par rapport à celles de Jongkind, Manet, et des premiers Impressionnistes, mais elles en procèdent directement. Forain et Raffaëlli furent des habitués des expositions impressionnistes, l'un à la 4e, 5e, 6e et 8e, l'autre à la 5e et à la 6e, avant son exposition particulière avenue de l'Opéra en 1884. Forain devint essentiellement graveur, ou pour mieux dire, journaliste-lithographe. Raffaëlli fut surtout peintre mais son œuvre gravé a quelque importance : il fit entre autres des essais remarqués d'estampes en couleurs, à la poupée, c'est pourquoi nous exposons un exemple de son œuvre dans notre dernière section sur l'estampe en couleurs.

Refusant de les inclure dans l'Impressionnisme, Fénéon leur reprochait, à juste titre, leur côté littéraire et leur goût pour l'anecdote (y englobant aussi, à moins juste titre, Degas). Certes, ce beau « caractériste » pour reprendre le mot de Raffaëlli, les éloigne de l'Impressionnisme. A cela s'ajoute, en ce qui concerne l'estampe, que leur œuvre en ce domaine, comme celui de Renoir, est très tardif par rapport aux autres qu'il ne fait qu'adapter, divulguer et souvent systématiser.

On aurait pu gonfler fort abondamment ce chapitre, car les artistes habiles ne manquèrent pas pour suivre l'Impressionnisme en le tempérant, et, d'autre part, tout ce qui se fit d'important après en découle plus ou moins, tels Gauguin ou Toulouse-Lautrec. Dans le domaine de la vulgarisation, l'illustrateur Paul Renouard — qu'on préférait généralement à son homonyme, et dont Camondo confondit les *Danseuses*, chez Vollard, avec un Degas — renouvela par ses dessins vifs et animés, l'image des journaux et l'enseignement du croquis. Nous montrons enfin avec Zorn (on aurait pu montrer Carrière) un exemple de systématisation d'une écriture qui tire son origine de procédés de gravure impressionniste, ne cherchant plus à cerner le volume, mais à l'évoquer d'une suggestion visuelle. Ce chapitre simplement indicatif n'est qu'un point d'orgue ajouté à cette exposition; l'héritage de l'Impressionnisme devrait faire à lui tout seul l'objet d'une autre.

167

Jean-Louis FORAIN

329
Au restaurant, *lithographie*, 1890 (Guérin 1). — B.N., Estampes.

Les lithographies de Forain sont tellement tardives par rapport à l'Impressionnisme et si originales que ce n'est qu'au tout début de son œuvre que l'on peut saisir en quoi l'entourage des Impressionnistes, avec qui il exposa en 1879 (4e exposition), 1880 (5e), 1881 (6e), et 1886 (8e), forma sa technique. La scène de restaurant traitée de façon réaliste était un des lieux communs de l'Impressionnisme. Partant de là, elle est ici traitée dans un esprit très différent, qui vise déjà à lui conférer un sens moral que les Impressionnistes évitent soigneusement. La satire perce nettement sous le constat du réel, à travers le personnage trop conventionnel, les expressions presque théâtrales, l'anecdote suggérée de façon insistante. La vigueur du trait, la traduction immédiate d'une sensation, c'est bien auprès de Degas que Forain les a apprises.

Suites des petites eaux-fortes, 1873-1876. — B.N., Estampes :

330-331-332
Danseuses dans leur loge (G.7), *épreuve rarissime*, anc. coll. Beurdeley.
Le café de la Nouvelle-Athènes (G. 8), *retirage Pellet à 25 ;* A Bullier (G. 11).

333-334
Frontispice refusé pour Marthe de Huysmans (G. 12), *épreuve annotée : numéro cinq ;* Frontispice pour Marthe (G. 13).

Ces premières eaux-fortes de Forain sont les plus révélatrices de son «Impressionnisme», car il s'en éloigna très vite, étant d'une génération plus jeune. Elles présagent ses illustrations pour les *Croquis parisiens* de Huysmans et sont des pochades prises sur le vif, sans effet, sans fard. Les *Danseuses dans leur loge*, renvoient évidemment au sujet favori de Degas, le café de la *Nouvelle Athènes* était le rendez-vous des artistes de la nouvelle école ; le frontispice pour *Marthe*, dont la première version fut jugée indécente et refusée, évoque aussi les scènes de maison close traitées par Degas dans un réalisme sans concessions. Guérin parle de l'influence de Manet, prophète de la *Nouvelle Athènes*, qui est en effet évidente tant par les sujets que par la façon brève et aérée de manier la pointe. Il évoque aussi l'influence de Rops, qui est plutôt une coïncidence (le sujet scabreux de Marthe, nue avec ses bas rayés). C'est surtout Huysmans qui a raison lorsqu'il écrit « *Élève de Gérôme qui ne lui a pas appris grand chose, M. Forain a étudié son art auprès de Manet et de Degas* ».

Félix BUHOT

335
Convoi funèbre, *eau-forte* (Boucard 159), *épreuve à l'essence tirée sur papier jaune*, 3e état. — B.N., Estampes, don Buhot.

Buhot fut la vedette des expositions des Peintres-Graveurs et le premier à profiter de la vogue naissante de l'estampe. Son nom est celui qui revient le plus souvent dans les rares critiques. On admire son habileté, sa technique de virtuose (cf. *L'Art français*, 2e année, no 93, 2 février 1889, *L'Art*. t. 46, 1889, p. 91-92). Mais tous ne se laissent pas éblouir ; dans *La Vogue*, Gustave Kahn écrit que « *les prestidigitations de Buhot* » le laissent froid.
    Il est difficile de choisir dans l'œuvre abondant de Félix Buhot un exemple de son

talent. A l'heure où l'estampe commençait à connaître quelque faveur, il fut parmi les nouveaux talents, l'un des plus remarqués. Sa virtuosité technique, son goût du raffinement lui attirèrent des éloges qu'on refusait aux Impressionnistes, et dans les compterendus de Salon, si l'on cite un graveur, c'est Buhot. Il sut utiliser les nouveautés impressionnistes en les « esthétisant » par des effets spectaculaires, des sujets anecdotiques.

Ici, Buhot s'est livré à une fantaisie qui lui était chère : le tirage sur un papier imbibé d'essence de térébenthine qui donne un certain mystère à la gravure. Il semble bien aussi que la planche ait été tirée avec deux cuivres comme l'attestent les repérages, ce qui est aussi luxe esthétisant. Quatre épreuves d'essai ont même été vendues avec des marges dorées.

336
LE 20 MARS AUX CHAMPS-ÉLYSÉES, *eau-forte*, 1877 (Bourcard 125). — B.N., Estampes, don Buhot.

Exemple caractéristique du goût de Félix Buhot pour les prouesses techniques et les recherches rares. Non seulement, comme les Impressionnistes, il surcharge sa planche de travaux mixtes exécutés avec les outils les plus divers, mais encore, comme un esthète, il recherche le raffinement des encrages et des papiers. La multiplication des états, épreuves rares, et surtout l'utilisation des « remarques », petits dessins ajoutés dans la marge, deviennent systématiques et moins sincères que chez les Impressionnistes, car Buhot s'était rendu compte que ces recherches rares valorisaient les planches auprès des collectionneurs. Les principes impressionnistes, nés de la nécessité la plus dure, dévient donc en un artisanat rémunérateur, un commerce de la rareté qui s'est poursuivi jusqu'à nos jours, avec l'emploi systématique du tirage limité et de la signature manuscrite.
Le 20 mars aux Champs-Élysées fait allusion à ce qu'on nommait « le dernier jour des condamnés », c'est-à-dire la date extrême pour l'envoi des tableaux au Salon; cette planche est parfois intitulée « *Le Retour des artistes* ». Il n'existe que 4 épreuves du 1er état et 6 du second, avec remarques, ici présenté. Cette estampe fut publiée dans *l'Illustration nouvelle* en 4e état, le 1er juin 1877. Elle fut exécutée de façon impromptue, comme l'atteste la mention précise du titre : 6 heures du soir, et la date d'exécution : 21 mars 1877.

NORBERT GOENEUTTE

337-338-339-340
UNE CONVERSATION CHEZ GUÉRARD; THÉATRE DE MONTMARTRE; GROUPE LISANT UNE AFFICHE; HOMME VU DE DOS REGARDANT UN CARTON D'ESTAMPES, *quatre eaux-fortes*, 1874 (Inv. 3 à 6). — B.N., Estampes, don Buhot.

Ces premières eaux-fortes de Goeneutte montrent qu'il débuta dans cette technique auprès de Guérard et sous l'influence directe des Impressionnistes, dont il imite les pochades prestes et sur le vif. Mais il appartient à une nouvelle génération et les audaces de naguère y apparaissent déjà un peu académiques.

ANDERS ZORN

341
ROSITA MORI, *eau-forte*, 1889 (Delteil 34, Asplund 34), 5e état. — B.N., Estampes, anc. coll. Curtis.

342
UNE PREMIÈRE (AVEC SA MÈRE AU BAIN), *eau-forte*, 1890 (Delteil 35, Asplund 39),

1er état très rare (une seule autre épreuve à Stockholm.) — B.N., Estampes, anc. coll. Curtis.

Le graveur suédois Zorn, qui vécut le plus souvent à Paris après 1888, fut l'un des représentants les plus fêtés de cet impressionnisme académisé qui eut beaucoup de succès vers 1900. On voit nettement comment la taille aérée des impressionnistes, l'utilisation du blanc du papier entre chaque trait, sont ici non seulement exploités mais vraiment systématisés presque jusqu'à la caricature, pour faire naître d'un principe réaliste un art qui n'est rien que décoratif et curieux. Les sujets, sont soigneusement choisis dans la réalité quotidienne, mais aussi mondaine, pour être réalistes sans pour autant gêner le public bourgeois, qui fut friand de cette gravure virtuose et agréable. Rosita Mori était une danseuse étoile : la scène du bain de mer fait partie du répertoire de la vie bourgeoise. Ces estampes furent exposées à la Société des Peintres-Graveurs français en 1891, où Zorn fut régulièrement invité à titre étranger.

Paul-César HELLEU

343
La Toilette, *pointe sèche*, v. 1890 (Inv. 8). — B.N., Estampes, anc. coll. Curtis.

La pointe sèche avait été l'outil de prédilection des graveurs impressionnistes. A leur suite, certains virtuoses, comme Helleu ou James Tissot, l'utilisèrent pour des portraits mondains et sensuels. Ils firent connaître à cette technique, en l'employant de façon exclusive, souvent en couleurs, une vogue qui compte parmi les caractéristiques de *l'art nouveau* vers 1900. Nous présentons ici une des premières gravures de Helleu, qui commença de graver vers 1885.

XXVIII. L'ESTAMPE ORIGINALE EN COULEURS

Après 1895, alors que l'Impressionnisme est dépassé, — c'est la date de l'exposition Cézanne chez Vollard — l'estampe trouve enfin son public. Elle triomphe sur les principes de l'estampe impressionniste, consacrés par ceux de la Société des Peintres-Graveurs français, mais aussi elle se développe contre eux. De ces principes, elles conserve l'idée de l'estampe-œuvre rare, œuvre d'artiste, expérimentale, d'atelier. Mais ce qui était pour les Impressionnistes une nécessité, devient une recette commerciale. Et son succès même contredit les principes sur lesquels il repose : l'œuvre rare est éditée, l'œuvre d'artiste est mise au point et imprimée par des techniciens, l'œuvre expérimentale rejoint l'art décoratif à la mode, l'œuvre d'atelier se répand comme un produit commercial. Cette vogue fut surtout le fait de l'estampe en couleurs, et particulièrement de la lithographie.

Tous les jeunes artistes d'alors font des estampes, ou donnent des dessins qu'on reporte sur pierre. Certains sont les héritiers directs de l'Impressionnisme : Gauguin à ses débuts, les « néos », Signac, Cross, Luce, Van Rysselberghe, où l'école luministe et intimiste de Bonnard et de Vuillard. D'autres, tout en conservant la leçon de technique, tournent le dos à l'idéal impressionniste en cherchant un art non réaliste, intellectuel ou spirituel, comme Redon ou Maurice Denis. D'autres enfin demeurent dans le sillage de l'Impressionnisme, sans y apporter de grandes nouveautés : Lepère, rénovateur de la gravure sur bois, qui donne des conseils au fils de Pissarro, Leheutre, qui publie dans le premier *Album Vollard*, Maufra, dans *l'Estampe originale*, les fils de Pissarro, Somm, encouragé par Buhot, Félicien Rops parfois.

Ce mouvement qui est à la fois l'aboutissement et le dépassement de l'estampe impressionniste fut matérialisé par une série de publications importantes d'albums d'estampes en couleurs : ceux de *L'Estampe originale* d'abord, les deux *Albums Vollard* ensuite, et des recueils qui mêlent œuvres originales et reproductions comme *Germinal*. Cette mode fut soutenue par plusieurs magazines qui témoignent de son évolution. Après un mystérieux journal *L'Estampe*, qui aurait été publié dès 1881, parut irrégulièrement *L'Estampe originale*, de 1884 à 1905; *L'Estampe moderne* (octobre 1895 - mars 1896), qui devint mensuel (mai 1897 - avril 1899) et surtout *L'Estampe et l'affiche* excellente publication dirigée par Clément-Janin dont le rédacteur en chef fut Mellerio, apôtre du renouveau et auteur d'une brochure *La Lithographie originale en couleurs*, qui donne, avec une couverture par Bonnard, des indications précises sur les artistes, les éditeurs, les imprimeurs qui participèrent à ce mouvement.

Pour fournir cette production, les méthodes ne sont évidemment plus celles de l'artiste œuvrant seul dans son atelier. La notion d'imprimeur prend un tout autre sens : « *Nous entendons ici par imprimeur ce qu'on désigne dans le métier par le terme technique* d'essayeur. *C'est le praticien d'élite à qui incombe le soin des recherches et les tâtonnements pour mettre en train le tirage de l'estampe, terminé ensuite, en cas d'exemplaires nombreux, soit par des ouvriers ordinaires, soit par la machine* », écrit Mellerio. Ces pratiques firent rebondir les problèmes de « l'originalité » qu'on avait déjà mise en cause à propos des papiers reports de Fantin-Latour ou de Whistler. A cela s'ajoute les préventions des tenant de la tradition contre la couleur. Le président de la section de gravure de la Société des artistes français écrit : « *Par ses principes, ses origines, ses traditions, l'art de la gravure est sans contredit, l'art du noir et blanc* ». Un critique le soutient, voyant là « *des recherches d'effets qui ne sont pas du domaine de la lithographie* ». Contre ces puristes, le marchand Sagot, qui avait, avant Vollard, fait entrer l'affiche et la lithographie dans le domaine de l'estampe originale et le critique Roger Marx défendent les nouvelles techniques, et le nouveau commerce de l'estampe, qui bousculait un peu le marché traditionnel.

Pierre BONNARD

344
COUVERTURE POUR LA LITHOGRAPHIE ORIGINALE EN COULEURS, DE MELLERIO, 1897 (Floury 24). — B.N., Estampes.

Auguste RENOIR

345
LE CHAPEAU ÉPINGLÉ, *lithographie en couleurs*, 1898 (L.D. 30). — B.N. — Estampes.

Renoir est celui des Impressionnistes qui a le plus sacrifié à la mode. On trouve sa signature dans toutes les publications commerciales au moment où elles commencent à avoir quelque succès : *Mère et enfant* (L.D. 10), eau-forte en couleurs, dans le premier *Album Vollard* en 1896, *Portrait de son fils Pierre* (L.D. 27) dans *l'Estampe originale* en octobre 1893, *Portrait de Mlle Dieterle* (L.D. 26) dans *Germinal*, en 1899. Ces grandes planches ne sont pas le meilleur de son œuvre. Le mouvement de la lithographie en couleurs commence avec Renoir à exploiter des noms connus, mais avec des œuvres de deuxième importance. Le *Chapeau épinglé*, dont une première planche lui avait été commandée par Vollard en 1897, est très prisé du public et de certains collectionneurs, malgré son impressionnisme édulcoré et déjà mondain.

172

L'estampe originale

Le renouveau de la lithographie en couleurs, en trouvant son public, a suscité du même coup ses productions, et ses chantres : les critiques affluent, les publications se multiplient pour soutenir le mouvement. Les publications les plus célèbres furent les albums de *L'Estampe originale*, publiés par Marty. Dans le premier numéro, Roger Marx, dans sa préface, fait allusion a une première série publiée depuis 1888, mais inconnue de nos collections. Son originalité aurait été de publier toutes les techniques côte à côte, sans préséances : bois, taille-douce, lithographie, mais seulement en noir et blanc. L'originalité de la nouvelle série, en 1893, est de publier ce même choix en couleurs. Tous les artistes modernes en renom y figurent. Outre Renoir et Pissarro, Marty sollicite Guérard (bois), Bracquemond (eau-forte), Whistler (lithographie), Fantin-Latour, etc., qui y côtoient les plus jeunes comme Redon, Vuillard, Bonnard, Roussel, Cross. On y voit aussi Chéret, Willette, Puvis de Chavannes, Helleu, Rodin, etc.

Henri de TOULOUSE-LAUTREC

346
Couverture pour le 1er numéro de *L'Estampe originale*, *lithographie en couleurs*, 1893 (L.D. 17, Adhémar 17). — B.N., Estampes.

Jean-François RAFFAELLI

347
Autoportrait, *eau-forte en couleurs*, publiée dans le n° 2 de *L'Estampe originale* avril-juin 1893, (L.D. 7). — B.N., Estampes.

Paul SIGNAC

348
Barque sur le rivage, *lithographie en couleurs* publiée dans le n° 3 de *L'Estampe originale*, juillet-septembre 1893 (Kornfeld-Wick 6). — B.N., Estampes, anc. coll. Curtis.

Les albums Vollard

Le premier marchand qui se fit éditeur d'estampes à la manière moderne, fut Vollard. En 1896 il acheta une presse lithographique pour imprimer ses propres éditions. Il exigeait, dit-on, que les artistes fournissent eux-mêmes le dessin directement sur la pierre non par souci d'authenticité, mais d'économie. Cependant les lithographies étaient mises au point, et parfois reportées sur pierre, par des techniciens dont le plus célèbre fut le lithographe Auguste Clot. Ce fut le cas des planches aujourd'hui les plus célèbres comme *les Baigneurs* de Cézanne, pour laquelle celui-ci réalisa une gouache, aujourd'hui à la Galerie nationale d'Ottawa, (Douglas W. Druick vient d'en publier une remarquable étude sous le titre *Cézanne, Vollard, and lithography : The Ottawa maquette for the « Large Bathers » colour lithograph*, dans le *Bulletin de la Galerie nationale du Canada*, 1972, nº 19 édité en 1974) ou les *Oies* de Sisley, « *véritable tour de force de métier exécuté toujours par Clot d'après un pastel clair et lumineux de Sisley* » et qui appartient, précise Mellerio, « *à la même catégorie* » que les lithographies de Rodin. Vollard avait ouvert sa boutique en 1894, fait parler de lui avec l'exposition Cézanne de 1895, date à laquelle il commence à s'intéresser aux arts graphiques. C'est l'année où il publie un album de Bonnard. En 1896, ce fut un album Redon et le 1er album des Peintres-Graveurs ; en 1897, le second. « *Vollard va avoir une presse lithographique* note Pissarro le 4 septembre 1896, *rue Laffitte, pauvre Vollard !* »

Armand GUILLAUMIN
349
Les Rochers rouges, *lithographie en couleurs* pour le 1er album Vollard, 1896, épreuve d'essai avant la lettre annotée par l'artiste. — B.N., Estampes, anc. coll. Curtis.

Édouard VUILLARD
350
Jeux d'enfants, *lithographie en couleurs* pour le 2e album Vollard, 1897 (R. Marx nº 29). — B.N., Estampes.

Alfred SISLEY
351
Les Oies, ou Bord de rivière, *lithographie en couleurs*, pour le 2e album Vollard, 1897. — B.N., Estampes, anc. coll. Curtis.

Les reproductions

Le problème de l'évolution de l'estampe de reproduction à l'époque où il n'est plus question que d'estampes originales n'a jamais été traité, et pourtant les interférences sont nombreuses, les interactions constantes, mais sans cesse altérées par des jugements de valeur, d'origine commerciale qui tendent, depuis cette époque, à faire considérer les unes sans commune mesure avec les autres. La gravure de reproduction a été bouleversée, mais certainement moins qu'on ne l'a dit, par l'apparition de la photographie, depuis 1839. D'une part les reproductions à la main subsistèrent longtemps et nombreuses ; d'autre part, les artistes, Degas en particulier, mais aussi Desboutin, s'intéressent beaucoup aux procédés photomécaniques. Mais le succès de l'estampe « originale » considérée comme un dessin à plusieurs exemplaires, supposé fait « à la main » (?) entraîne dès cette époque les équivoques qu'on connaît bien, puisqu'elles ne sont toujours pas levées de nos jours. L'exemple de Degas est instructif. Il accepte qu'on reporte des dessins sur pierre, et se passionne même pour l'entreprise, à condition de la surveiller : il écrit à Thornley en août 1890, : « *J'ai dit d'arrêter le tirage et prévenu que j'irais à l'imprimerie. Il m'a été impossible d'y aller, ainsi que de nous retrouver chez Rouart avec votre dessin sur papier à report. Je voulais faire des retouches sur ce dernier, et je ne regrette guère de ne les avoir point faites, vous n'étant pas là. Vers le 15 septembre je serai à Paris et on en finira* ». Ces reproductions retouchées par Degas, dédaignées des collectionneurs, sont pourtant plus « originales » que les lithographies très prisées de Sisley, Cézanne ou Rodin. G. Kahn n'en faisait pas mystère, qui préférait à « *toutes les prestidigitations de Buhot, une lithographie de Thornley mise au point par Degas* ». Fénéon aussi prise très haut ces reproductions et les définit ainsi : « *Seront par elles-mêmes œuvres d'art des gravures qui ne soient pas la singerie servile de ceux des peintres, telles les lithographies subtilement éloquentes de M. G.-W. Thornley d'après Degas ; il faut les consulter dans l'album publié l'hiver dernier par Boussod et Valadon...* » (*La Revue indépendante*, octobre 1888). Degas accepte aussi les fac-simile publiés par la maison Goupil, chez qui travaille son ami Manzi, et, à la fin de sa vie, il ne dédaigne pas de signer un album de 98 reproductions publiées par Bernheim. On pourra juger ici sur pièces de ces différentes réalisations.

EDGAR DEGAS (D'APRÈS)

352
LA CHANSON DU CHIEN, Planche de l'album « *Quinze lithographies d'après Degas, par Thornley, chez Boussod et Valadon* », s.d. [1888]. — B.N., Estampes.

353
BUSTE DE DANSEUSES, *lithographie en couleurs* par A. Clot d'après Degas, planche nº 4 de l'album « Germinal », 1899. — B.N., Estampes.

354
FEMME S'ESSUYANT, *reproduction photomécanique en couleurs*, d'après un pastel de 1895, planche d'un album publié chez Goupil, 1896. — B.N., Estampes.

355
AUTRE REPRODUCTION, EN NOIR, DU MÊME PASTEL, planche LXXVIII de l'album « *Quatre-vingt-dix-huit reproductions signées par Degas*, publié chez Bernheim en 1910, réédition Vollard, 1914. — B.N., Estampes.

INDEX DES ARTISTES
DONT LES ŒUVRES SONT EXPOSÉES
ET DES CATALOGUES
AUXQUELS IL EST FAIT RÉFÉRENCE DANS LES NOTICES

APPIAN (Adolphe), 1818-1898.   Nᵒˢ 78 à 84
Herbert H. JENNINGS. Adolphe Appian, dans *Print Collector's Quarterly*, vol. XII, février 1925.
Janine BAILLY-HERZBERG. L'Eau-forte de peintre au XIXᵉ siècle : La Société des aquafortistes (1862-1867). Paris, 1972. 2 vol. T. 2, p. 2-6.
Atherton CURTIS et Paul PROUTE. Adolphe Appian, son œuvre gravé et lithographié. Paris, 1968.

BONINGTON (Richard Parkes), 1802-1828.   Nᵒ 2
Henri BERALDI. Les Graveurs du XIXᵉ siècle... Paris, 1885. T. 3.
Atherton CURTIS. Catalogue de l'œuvre lithographié et gravé de R.P. Bonington... Paris, 1939.

BONNARD (Pierre), 1867-1947.   Nᵒ 344
Charles TERRASSE. Bonnard (avec catalogue de l'œuvre gravé par Jean Floury). Paris, 1927.
Claude ROGER-MARX. Bonnard lithographe. Monte Carlo, 1952.

BRACQUEMOND (Félix), 1833-1914.   Nᵒˢ 5-6, 158 à 169
BERALDI, 1885. T. 3.
Bibliothèque nationale, Département des estampes. INVENTAIRE DU FONDS FRANÇAIS APRÈS 1800, Paris, 1942, t. 3 (par J. Laran et J. Adhémar), p. 354-396.

BUHOT (Félix), 1847-1898.   Nᵒˢ 335-336
BERALDI, 1886, t. 4, p. 25-35.
Gustave BOURCARD. Félix Buhot, catalogue descriptif de son œuvre gravé... Paris, 1899.

CASSATT (Mary), 1844-1926.   Nᵒˢ 287 à 302
Adelyn D. BREESKIN. The Graphic work of Mary Cassatt, a catalogue raisonné... New York, 1948.

CEZANNE (Paul), 1839-1906.   Nᵒˢ 277 à 281
Paul GACHET. Cézanne à Auvers, Cézanne graveur. Paris, 1952.
INVENTAIRE DU FONDS FRANÇAIS, 1949, t. 4 (par J. Adhémar).
Lionello VENTURI. Cézanne, son art, son œuvre. Paris, 1936. 2 vol.

CHAIGNEAU (Ferdinand), 1830-1906.   Nᵒˢ 89 à 91
BAILLY-HERZBERG, t. 2, p. 36-37.

COROT (Jean-Baptiste), 1796-1875.   Nᵒˢ 39 à 42
Loÿs DELTEIL. Le Peintre-graveur illustré, t. 5. Paris, 1910.

DANANCHE (Xavier de), 1828-1894.   Nᵒˢ 92-93
BAILLY-HERZBERG, t. 2, p. 55-59.

DAUBIGNY (Charles-François), 1817-1878.   Nᵒˢ 48-49, 51 et 55
Frédéric HENRIET. C. Daubigny et son œuvre gravé... Paris, 1875.

DAUMIER (Honoré), 1808-1879.   Nᵒ 4
DELTEIL, 1926, t. 28.

DEGAS (Edgar), 1834-1917.   N°s 30 à 34, 36, 37, 182 à 210, 352 à 355
DELTEIL, 1919, t. 9.
P.-A. LEMOISNE. Degas et son œuvre. Paris, 1946-9. 4 vol.
P. MOSES. An Exhibition of etchings by Edgar Degas, University of Chicago, May-June 1964.
Chicago, 1964.
E.W. KORNFELD, Edgar Degas, Beilage zum Verzeichnis des graphischen Werkes von
Loÿs Delteil. Berne, 1965.
Eugenia P. JANIS. Degas monotypes. Cambridge, Mass., Harvard University press, 1968.
Jean ADHEMAR et Françoise CACHIN. Edgar Degas, gravures et monotypes... Paris, 1973.

DELACROIX (Eugène), 1798-1863.   N° 1
DELTEIL, 1908, t. 3.

DELATRE (Auguste), 1812-1907.   N°s 63 à 69
BERALDI, 1886, t. 5, p. 168-170.
BAILLY-HERZBERG, t. 1, p. 1-10.

DE NITTIS (Giuseppe), 1846-1884.   N°s 222 à 227
Mary PITTALUGA et Enrico PICENI. De Nittis. Milano, 1963.

DESBOUTIN (Marcellin), 1823-1902.   N°s 214 à 221, 225 à 227
CLEMENT-JANIN. La Curieuse vie de Marcellin Desboutin, peintre, graveur, poète (avec
catalogue de ses gravures). Paris, 1922.
Janine BAILLY-HERZBERG, Marcellin Desboutin and his world, dans *Apollo*, 1973, p. 496-
500.

FANTIN-LATOUR (Henri), 1836-1904.   N°s 147 à 152
Germain HEDIARD. Catalogue de l'œuvre lithographique du maître précédé d'une étude...
Paris, 1906.

FORAIN (Jean-Louis), 1852-1931.   N°s 329 à 334
Marcel GUERIN. J.-L. Forain lithographe, catalogue raisonné de l'œuvre lithographié
de l'artiste. Paris, 1910.
Marcel GUERIN. J.-L. Forain aquafortiste, catalogue raisonné de l'œuvre gravé de l'artiste... Paris, 1912.

GACHET (Paul), *voir* VAN RYSSEL.

GOENEUTTE (Norbert), 1854-1894.   N°s 13 et 337 à 340
BERALDI, 1888, t. 7, p. 170-172.
INVENTAIRE DU FONDS FRANÇAIS, 1955, t. 9 (par J. Adhémar et J. Lethève).

GOYA (Francesco), 1746-1828.   N°s 25, 27 et 29
DELTEIL, 1922, t. 14-15.
Tomàs HARRIS. Goya, engravings and lithographs. Oxford, 1964. 2 vol.

GUERARD (Henri), 1846-1897.   N°s 9 à 12, 170 à 181
BERALDI, 1888, t. 7, p. 263-273.

GUILLAUMIN (Armand), 1841-1927.   N°s 283 à 286 et 349
Georges SERRET et Dominique FABIANI. Armand Guillaumin, catalogue raisonné de
l'œuvre peint. Paris, 1971.

HELLEU (Paul-César), 1859-1927.   N° 343
INVENTAIRE DU FONDS FRANÇAIS (classement d'après Jacqueline Armingeat), 1958, t. 10,
p. 190-231.

HERVIER (Adolphe), 1818-1879.   N°s 85 à 88
BERALDI, 1889, t. 8, p. 110-116.
INVENTAIRE DU FONDS FRANÇAIS, 1958, t. 10 (par J. Adhémar, J. Lethève et F. Gardey).
BAILLY-HERZBERG, t. 2, p. 109-111.

HUET (Paul), 1803-1869. Nᵒˢ 57 à 62
DELTEIL, 1911, t. 7.

ISABEY (Eugène), 1803-1886. Nᵒ 3
BERALDI, 1889, t. 8, p. 157-159.
Germain HEDIARD. Les maîtres de la lithographie, Eugène Isabey, étude du catalogue de
son œuvre... Paris, 1906.
Atherton CURTIS. Catalogue de l'œuvre lithographié de Eugène Isabey... Paris, 1939.

JACQUE (Charles), 1813-1894. Nᵒˢ 70 à 77
J.-J. GUIFFREY. L'Œuvre de Ch. Jacque, catalogue de ses eaux-fortes et pointes-sèches.
Paris, 1866.
BERALDI, 1889, t. 8, p. 162-192.
INVENTAIRE DU FONDS FRANÇAIS, 1960, t. 11, p. 99-133 (d'après classement de Paul
Prouté).

JEANNIOT (Pierre-Georges), 1848-1924. Nᵒˢ 211 à 213
INVENTAIRE DU FONDS FRANÇAIS, t. XI, 1960, p. 344-361 (par J. Adhémar, J. Lethève
et F. Gardey).

JONGKIND (Johan Barthold), 1819-1891. Nᵒ 99 à 110
DELTEIL, 1906, t. 1.
BAILLY-HERZBERG, t. 2, p. 121-127.

LEGROS (Alphonse), 1837-1911. Nᵒˢ 153 à 157
BERALDI, 1889, t. 9, p. 93-105.
BAILLY-HERZBERG, t. 2, p. 131-138.

LEPIC (Ludovic-Napoléon, vicomte), 1839-1889. Nᵒˢ 228-231
BERALDI, 1889, t. 9, p. 143-145.
BAILLY-HERZBERG, t.2, p. 139-140.

MANET (Edouard), 1832-1883. Nᵒˢ 7-8, 21 à 24, 26, 28, 122 à 146
Léon ROSENTHAL. Manet aquafortiste et lithographe. Paris, 1925.
Paul JAMOT et Georges WILDENSTEIN. Manet, catalogue critique. Paris, 1932.
Marcel GUERIN. L'Œuvre gravé de Manet. Paris, 1944.
Alain de LEIRIS. The Drawings of Edouard Manet. Berkeley and Los Angeles, 1969.
Jean C. HARRIS. Edouard Manet, graphic works, a definitive catalogue raisonné. New
York, 1970.

MICHELIN (Jules), 1815-1870. Nᵒˢ 96-97
BAILLY-HERZBERG, t. 2, p. 153.

MILLET (Jean-François), 1814-1874. Nᵒˢ 44-45
DELTEIL, 1906, t. 1.

MORISOT (Berthe), 1841-1895. Nᵒˢ 321 à 328
M.-L. BATAILLE et Georges WILDENSTEIN. Berthe Morisot, catalogue des peintures, pastels
et aquarelles. Paris, 1961.
CORRESPONDANCE DE BERTHE MORISOT avec sa famille et ses amis (...) documents réunis
et présentés par Denis Rouart. Paris, 1950.

PISSARRO (Camille), 1830-1903. Nᵒˢ 43, 46-47, 50, 52 à 54, 56, 232 à 268, 274 à 276
DELTEIL, 1923, t. 17.
Jean CAILAC. The Prints of Camille Pissarro, a supplement to the catalogue by Loÿs
Delteil, dans Print Collector's Quarterly, t. XIX (1932), p. 75-86.
LETTRES DE CAMILLE PISSARRO à son fils Lucien éditées par John Rewald. New York, 1943.
Édition française, Paris, 1950.
Ludovic-Rodo PISSARRO et Lionello VENTURI. Camille Pissarro, son art, son œuvre.
Paris, 1949. 2 vol.
Jean LEYMARIE et Michel MELOT. Les gravures des Impressionnistes. Paris, 1970.

RAFFAELLI (Jean-François), 1850-1924.   N° 347
DELTEIL, 1923, t. 16.

REMBRANDT, 1606-1669.   Nos 35 et 38
Charles BLANC. L'Œuvre complet de Rembrandt... Paris, 1859. 2 vol.
George BIORKLUND et Osbert BARNARD. Rembrandt's etchings true and false, 2ᵉ édition.
Stockholm, London, New York, 1968.

RENOIR (Pierre-Auguste), 1841-1919.   N° 309 à 320 et 345
Ambroise VOLLARD. Tableaux, pastels et dessins de P.-A. Renoir. Paris, 1918.
DELTEIL, 1923, t. 17.
Claude ROGER-MARX. Renoir lithographe. Monte Carlo, 1952.

RIBOT (Théodule), 1823-1891.   N° 98
BAILLY-HERZBERG, t. II, p. 163-164.

RIVIÈRE (Henri), 1864-1951.   N° 14

RODIN (Auguste), 1840-1917.   Nos 307-308
ROGER-MARX. Les pointes-sèches de Rodin. Paris, 1902. (Extrait de la *Gazette des Beaux-Arts*).
DELTEIL, 1910, t. 6.

SIGNAC (Paul), 1863-1935.   N° 348
Eberhard W. KORNFELD et P.A. WICK. Catalogue raisonné de l'œuvre gravé et lithographié
de Paul Signac. Berne, 1974.

SISLEY (Alfred), 1839-1899.   Nos 303 à 306 et 351
DELTEIL, 1923, t. 17.

TOULOUSE-LAUTREC (Henri de), 1864-1901.   N° 346
DELTEIL, 1920, t. 10-11.
Jean ADHEMAR. Toulouse-Lautrec, lithographies, pointes-sèches, œuvre complet. Paris,
1965.

VAN GOGH (Vincent), 1853-1890.   N° 282
J.-B. de LA FAILLE. The Works of Vincent Van Gogh. Amsterdam, 1970.
Juliana MONTFORT. Van Gogh et la gravure, histoire catalographique, dans *Nouvelles de
l'estampe*, n° 2 (mars-avril 1972), p. 5-15.

VAN RYSSEL (Dr Paul Gachet, *dit*), 1828-1909,   Nos 269 à 273
INVENTAIRE DU FONDS FRANÇAIS (classement d'après Paul Gachet fils), 1954, t. 8, p. 295-
300.
Paul GACHET. Paul Van Ryssel, le docteur Gachet graveur. Paris, 1954.

VOLLON (Antoine), 1833-1900.   Nos 94-95
BAILLY-HERZBERG, t. II, p. 177-178.

VUILLARD (Edouard), 1868-1940.   N° 350
Claude ROGER-MARX. L'Œuvre gravé de Vuillard. Monte Carlo, 1948.

WHISTLER (James Mc Neil), 1834-1903.   Nos 111 à 121
Thomas R. WAY. Mr Whistler's lithographs, the catalogue compiled... 2nd edition. Lon-
don, 1905.
Edward G. KENNEDY. The Etched work of Whistler... New York, 1910. 4 vol.
Theodore DURET. Histoire de J. Mac N. Whistler et de son œuvre... Paris, 1914.
E. et J. PENNELL. James Mc Neil Whistler, sa vie, son œuvre... Paris, 1913.

ZORN (Anders), 1860-1920.   Nos 341-342
DELTEIL, 1909, t. 4.
Karl ASPLUND. Zorn's engraved work, a descriptive catalogue... Stockholm, 1920-21.

LISTE DES OBJETS EXPOSÉS DANS LES VITRINES

(Tous appartiennent à la Bibliothèque nationale, Cabinet des estampes)

VITRINE N° 1 :

CLICHÉS-VERRES DE COROT, DAUBIGNY, CHARLES JACQUE (catalogue n°s 43 et 58). Anc. coll. Robaut.

VITRINE N° 2 :

CUIVRES D'ÉDOUARD MANET : *Le Guitarrero* (cat. n°s 21 à 24); *Le Garçon au chien* (cat. n° 124); *Olympia, première planche* (cat. n° 141); *La Queue devant la boucherie* (cat. n° 146). Anc. coll. Moreau-Nélaton et Strölin.

VITRINE N° 3 :

CUIVRES DE HENRI GUÉRARD : *Masques japonais* (cat. n°s 9, 10, 11 et 12); *Enfant dans un pré* (cat. n°s 176, § 77, 178); *Vue de Honfleur* (cat. n° 180); *Bateaux* (cat. 170). Don Guérard, 1972.

VITRINE N° 4 :

CARNETS D'EDGAR DEGAS (cf. Introduction au ch. XVI, *Degas*) :

Carnet n° 1, p. 105 : Les premières eaux-fortes de Degas sont parfois collées dans ce carnet qui contient ainsi des épreuves du *Portrait de la sœur de Degas*, p. 37, du *Paysage*, p. 101-102 et de *La Rade*, p. 105-106.

Carnet n° 3, p. 92 : Étude au crayon pour *Aux Ambassadeurs, la chanson du chien.*

Carnet n° 4, p. 6 : porte l'adresse de *Gaudrant, rue Monge 29, héliographe de la part de Robaut* (cf. lettre de Desboutin citée dans l'introduction au chapitre sur Degas).

Carnet n° 7, p. 67 : porte une recette d'impression à « *l'encre de Auguste Vernhembeck... aussi bon pour le report mais sur papier autographique. L'essence de lavande dissoudra mieux l'encre de report que l'essence...* ». La page 89 porte la mention « *Papier de chine à report, ceci pour travailler à l'essence.* »

Carnet n° 9, p. 22 : porte une recette d'aquatinte : « *Huiler un peu la planche, et saupoudrer de copol en poudre, ça forme un grain particulier. Assez chauffer. Un grain posé, savonner bien la planche et bien laver après. On peut peindre à l'acide sans que ça bave autant. Il paraît qu'en laissant du blanc d'Espagne dans les trous on peut faire sauter le vernis, et refaire mordre même des grains* ». La page 206 porte la mention : « *Faire à l'aquatinte une série de deuils (différents noirs).* »

Carnet n° 13, p. 33 : raconte une rencontre avec Soutzo, qui fut son premier professeur de gravure : « *J'ai eu aujourd'hui, 18 janvier 56, une grande conversation avec M. Soutzo — quel courage il y a dans ses études — il en faut. Ne jamais marchander avec la nature. Il y a du courage en effet à aborder de front la nature dans ses grands plans et ses grandes lignes et de la lâcheté à le faire par ses facettes et ses détails. C'est une guerre.* »

Carnet n° 15, p. 21 : Étude pour le portrait du *Grand-père de Degas* (cf. cat. n° 34).

Carnet n° 20, p. 86 : porte l'adresse de Ch. Méryon.

VITRINE nº 5 :

CUIVRES DE CAMILLE PISSARRO : *Crépuscule avec meules,* (cat. nᵒˢ 237-238); *La Femme sur la route* (cat. nº 243); *L'Ile Lacroix à Rouen* (cat. nº 249); *Paysanne les mains sur les hanches,* gravure sur métal en relief (cat. nᵒˢ 261, 262, 263). Don de la famille Pissarro, 1930.

VITRINE nº 6 :

CUIVRES POUR LES GRAVURES EN COULEURS DE CAMILLE PISSARRO. Les gravures étaient réalisées à partir de quatre cuivres, un pour le trait (noir), un pour le bleu, un pour le jaune, un pour le rouge. Nous présentons les quatre cuivres pour : *Eglise et ferme d'Eragny* (cat. nº 253, 254, 255); *Paysannes à l'herbe* (cat. nº 256); *Baigneuses gardeuses d'oies* (cat. nº 257-258); *Marché de Gisors, rue Cappeville* (cat. nº 259, 260). Don de la famille de Pissarro, 1930.

VITRINE Nº 7 :

ZINCS D'ALFRED SISLEY (cat. nº 303 à 306). Don Guérard, 1972.

ERRATA. - La Bibliothèque d'art et d'archéologie de l'Université de Paris a été mentionnée par erreur Bibliothèque de l'Institut d'art et d'archéologie, sous le sigle B.I.A.A., que le lecteur voudra bien restituer B.A.A.

TABLE DES MATIÈRES

DES PRESSES

DE L'IMPRIMERIE UNION A PARIS

LE 14 OCTOBRE 1974